La noche de los asesinos

Letras Hispánicas

José Triana

La noche de los asesinos

Edición de Daniel Meyran

SEGUNDA EDICIÓN

CÁTEDRA
LETRAS HISPÁNICAS

1.ª edición, 2001
2.ª edición, 2007

Ilustración de cubierta: Aguafuerte de Guido Llinás

Juan Ignacio Luca de Tena, 15. 28027 Madrid
Depósito legal: M. 37.033-2007
ISBN: 978-84-376-1914-9
Printed in Spain
Impreso en Anzos, S. L.
Fuenlabrada (Madrid)

Índice

Introducción

A Lydia

José Triana en su casa de Nuevo Vedado, La Habana, 1965
(Foto de Luc Chessex).

y no soy ni la sombra ni el espejo
sino el trayecto, el viaje sucesivo,
el claro hallazgo de ser y no ser

José Triana,
Vueltas al espejo / Miroir aller-retour,
Saint-Nazaire, ed. M.E.E.T., 1996.

Conocí a José Triana en una de esas fiestas científicas que son los coloquios internacionales sobre literatura y teatro latinoamericanos en Francia. La primera vez en París, en 1994, José Triana presidía la mesa en la que yo hablaba; luego en Perpiñán, el mismo año, para participar en una mesa redonda sobre *Teoría y práctica en el teatro hispano americano.* En 1996 volví a encontrarle presidiendo el III Coloquio Internacional sobre *Teatro, público y sociedad,* y en 1998 le invité a dictar la conferencia plenaria «Teatro y Poder» en el ámbito del IV Coloquio sobre dominios hispánico, hispanoamericano y mexicano, que organicé en Perpiñán. José Triana es además un amigo cuyo trato nos invita siempre a la curiosidad y a la comprensión de los demás y de nosotros mismos. Así, cuando se presentó la oportunidad y la suerte de esta propuesta editorial para *La noche de los asesinos,* José respondió con mucho entusiasmo, y con gran amistad se puso a colaborar en la empresa. A él van todos mis agradecimientos.

José Triana me invitó a entrevistarle para preparar esta edición. Nos vimos en su casa, un ático, de una elegancia sencilla que refleja toda la personalidad del dramaturgo y de su esposa Chantal, que domina desde el último piso una de las más agradables calles de París, la *rue* Saint-Florentin. Allí Triana ha reconstruido, como él suele decir, «su casa cubana», «su pequeña Habana», entre sus libros, sus vídeos, sus discos, sus cuadros, su habla cubana, sus recuerdos, tomando un café cubano. Pero no hay ninguna nostalgia en ello, se siente muy bien en París y está muy satisfecho de poder vivir Cuba en Francia. A Christilla Vasserot, que le preguntó si había pensado alguna vez en volver a Cuba, le contestó:

> Nunca me ha tentado el regreso. No quiero estar confrontándome ahora, ni moverme entre viejas rencillas, odios, vejaciones... No... Hay que liquidar eso... Las heridas existen pero yo no voy a ir a revivirlas... Y han sido demasiados años y he ido incorporando otras formas de vivir. En Cuba también viví el exilio. El regreso no es una cosa que me seduzca tanto porque siempre estamos exilados. Hay un exilio terrible... en el cual vivimos, aun cuando estemos dentro del país... La idea de extranjería siempre me ha agobiado. De pequeño salí de mi pueblo, me fui a otro de Oriente, lo asimilé, formé parte de él. Primero Oriente, después Madrid y después La Habana. Siempre fui y seré un exilado[1].

Un exiliado sí, pero un exiliado que sabe crear su propia isla dentro de la Isla. La conversación que tuvimos aquel día duró toda la mañana y gran parte de la tarde. José me enseñó mucho, y por ello quiero que esta presentación sea, al menos en su etapa biográfica, un diálogo, una charla al alimón entre José y yo.

Breve recorrido biográfico

José Triana nació en Hatuey, provincia de Camagüey, en 1931, en una familia modesta de origen obrero. Su padre era crucetero en una compañía telefónica.

De niño tuvo una experiencia teatral que le marcó profundamente. Cuando le pregunté el porqué de *La noche de los asesinos*, me dijo lo siguiente:

---

[1] Christilla Vasserot, «José Triana entrevisto», *Encuentro de cultura cubana*, Madrid, núm. 4-5, 1997, págs. 33-45.

> tendría que empezar de atrás, atrás, atrás... Yo veía un espacio vacío, había una mujer en escena y unos perros que ladraban. Yo no sé si los perros que ladraban formaban parte de la representación o si eran incidentales o si yo los incorporé. Yo tendría entre cinco y seis años.

Esta experiencia fundamental la tiene el joven José en los años 1936-1937. Su padre se dedicaba al trabajo cultural de promoción de lecturas de teatro y organiza una primera jornada de conferencias con intelectuales españoles en su propia casa. Mercedes Pinto y su hija Pituca actúan, y de la emoción ante el espectáculo de ver a esa mujer hablando sola con una silla, brota hoy el recuerdo de la primera imagen teatral del futuro dramaturgo. Conoce a Eduardo Zamacoix, a Luis de Zuleta, etc., y se va creando un clima favorable para su despertar teatral. En 1940 la familia sigue al padre, que había ascendido al puesto de director general de la empresa telefónica para toda la provincia, y se instala en Bayamo.

Autodidacta y mentor cultural, su padre le pone en contacto con el espectáculo teatral, con la literatura y le da a leer *El Quijote*, fragmentos de Dante y *Cecilia Valdés*[2], una de las novelas claves del siglo XIX en Cuba. La adolescencia del joven Triana está marcada por el teatro cubano vernáculo, el famoso teatro «bufo», teatro popular con personajes y situaciones arquetípicos, grotescos, como por ejemplo «el negrito», siempre interpretado por un actor blanco con la cara pintada de negro, o «el gallego», la omnipresente mulata, la jovencita... y todo entre cantos y bailes. Es fundamental notar la relevancia de lo «bufo» en el teatro cubano, y en el caso de Triana en particular. En efecto, este teatro, a lo largo del siglo XIX y principios del XX, pone el acento en la parodia y el humor, el imprescindible «choteo» que procede del verbo «chotearse», es decir «perder el prestigio», una burla de palabras así definida por Rine Leal: «La más depurada y popular forma de expresión del humor cubano... Ha sido analizado sociológicamente como una manera de defenderse de los poderosos,

[2] *Cecilia Valdés o La Loma del Ángel*, novela del escritor cubano Cirilo Villaverde (1812-1888).

una evasión de la realidad o mejor aún, una forma de resistencia popular»[3].

Estas formas de resistencia frente a una realidad difícil o imposible de transformar, el humor, «el choteo», la parodia, que unen lo cómico con lo trágico, permiten la destrucción de ciertas categorías y valores, a la vez que contribuyen a la reestructuración del medio social. Constante en la dramaturgia cubana, el choteo pasa de los principios del teatro bufo al teatro Alhambra (1890), estalla con las visiones tragicómicas de Virgilio Piñera (1912-1979), hasta alcanzar a dramaturgos como Abelardo Estorino o José Triana en *La noche de los asesinos* (1964-1965) y más recientemente en *La fiesta o Comedia para un delirio* (1994) de la que el propio autor nos dice en unas «observaciones generales»:

> Pienso esta obra, igual a todas mis obras, como un juego de la memoria, como un desenfadado intento de recrear personajes y situaciones que en cierta manera están extrañamente vinculadas a una parte de la realidad, pero que no es la realidad, y que si tiene algún contacto con ella, es a través de un espejo que se deforma o que impone rostros al revés o de la materia huidiza que vemos con los ojos ciegos de los sueños. Una realidad que se hace y se deshace... Una realidad de sombras difuminadas en un cristal opaco[4].

He aquí la impronta de una forma que da al teatro cubano en la historia una dimensión vital, he aquí la herencia de aquellos personajes títeres como figuras bailando, cantando y «delirando» en un escenario que es tanto el de unos telones despintados de una pequeña compañía de provincias, como el de la propia realidad. Este tipo de teatro es la segunda experiencia de Triana. Me lo confiesa directamente en nuestra

---

[3] Rine Leal Pérez, «La interculturalidad afrocubana en las formas breves teatrales», en «Formes brèves de l'expression culturelle en Amérique Latine de 1850 à nos jours», *América*, núm. 18, t. 2, París, Presses de la Sorbonne Nouvelle, 1997, págs. 451-460 (pág. 458). Rine Leal, crítico cubano, notable especialista del teatro, falleció en Venezuela en 1997.

[4] José Triana, *La fiesta o Comedia para un delirio*, en *Teatro: 5 autores cubanos*, Nueva York, Ollantay Press, 1995.

entrevista: «Empezaba yo dentro del teatro bufo y *La fiesta* que tú conoces es un homenaje a este teatro.» *La fiesta* es un homenaje al teatro vernáculo, pero *La noche de los asesinos* también. Lleva en sí una mezcla de lo trágico y de lo cómico, a pesar de su violencia y «tragicidad», a pesar de la sangre derramada, y la obra puede leerse como una «farsa grotesca y funambulesca», un juego adolescente de disfraces, un ritual de mentiras donde descubrimos al final que todo es ficción.

Pero volvamos al joven Triana. Durante 1946-1949 estudia en un colegio bautista y participa activamente en las representaciones ofrecidas a padres y alumnos en Navidad, Pascua y fin de curso: «Y yo me fui incorporando a estas actividades, metido dentro del mundo dramático y poético.» En 1950 termina el bachillerato y quiere estudiar filosofía, pero sus padres le tienen pensado otro destino y quieren que estudie ingeniería: primera revuelta, el hijo se niega e interrumpe sus estudios; prefiere ponerse trabajar y ganarse la vida como empleado en la misma compañía de teléfonos que su padre. Puede así seguir la actividad del mundo teatral, saltando a La Habana donde en 1953 asiste al montaje de *Las criadas* de Jean Genêt, puesta en escena por Francisco Morín e interpretada por Miriam Acevedo, que después actuará en el estreno de *La noche de los asesinos*. Es la tercera revelación teatral que experimenta el joven Triana:

> Vi el montaje extraordinario de *Las criadas*, yo me quedé perplejo. Era una pequeña habitación, en una pieza circular, había una cama, dos sillones, una cómoda, un *paravent*... Yo salí temblando del teatro...

Genêt, en la advertencia que precede a la pieza para presentar a sus personajes, da unos consejos a los actores y a los lectores de «cómo interpretar *Las criadas*»:

> Su tez es pálida, llena de encanto. Pues son marchitas pero con elegancia. No se han podrido.
>
> Sin embargo, tendrá que aparecer lo podrido, menos cuando escupen su rabia que es su arrebato de ternura [...] Sagra-

das o no, esas criadas son unos monstruos, como nosotros mismos cuando soñamos con esto o con eso[5].

Ya estamos con Lalo, Beba y Cuca, los hermanos terribles de *La noche de los asesinos* a los que Triana caracterizará así en las didascalias introductorias a los *dramatis personae:*

> Estos personajes son adultos y sin embargo conservan cierta gracia adolescente, aunque un tanto marchita. Son, en último término, figuras de un museo en ruinas[6].

Comprendemos mejor lo que me comentó a este respecto: «Cuando yo vi *Las criadas,* yo dije: éste es mi camino, es un camino asequible. No leí la obra porque todavía no había traducción. Así que esto se me quedó en la cabeza como una larva trabajando.» De nuevo el «carcominillo» que sigue apoderándose de nuestro dramaturgo. El homenaje implícito a Genêt parece seguro, pero hay también un homenaje a Antonin Artaud, cuyo nombre está en exergo con una cita de *El teatro y su doble.*

> Este mundo humano entra en nosotros, participa en la danza de los dioses, sin retroceder, ni mirar atrás, so pena de convertirse como nosotros mismos: en estatuas de sal[7].

Realmente, *La noche de los asesinos* crea un clima de pesadilla muy cercano a *Las criadas* de Genêt pero con mayor desesperación y con mayor crueldad, ya que los hermanos no pueden realizar el crimen, son puros actores condenados a ensayarlo *ad infinitum.*

Entre 1954 y 1958, Triana deja Cuba para vivir su pasión teatral. Marcha a Estados Unidos y desde allí a España, a Madrid, donde a partir del año 1956 se inicia en el teatro en una

---

[5] Jean Genêt, «Comment jouer *Les Bonnes*», en *Les Bonnes*, París, l'Arbalète, 1978, págs. 8-9. (Es traducción mía.)

[6] Cfr. José Triana, *infra*, pág. 74.

[7] Antonin Artaud, *Le théâtre et son double*, París, Gallimard, 1964, pág. 17. Triana extrae el texto citado del prefacio que Artaud dedica a «El teatro y la cultura».

escuela para actores y futuros autores, incorporándose lentamente al mundo teatral. Gracias a la amistad de José Monleón, de Trino Martínez Trives, de Juan Guerrero Zamora, de José Franco, entra en contacto con los textos de Beckett y de Ionesco al mismo tiempo que se impregna de la cultura española, la de Valle-Inclán, la de Ortega y Gasset, la de Buero Vallejo y Alfonso Sastre, es decir, una España que soñaba en otra España. Triana forma parte de un grupo de teatro experimental, «Teatro Escena», y monta con él, entre otras piezas, *Los siervos* de Vigilio Piñera.

Se inicia en todos los oficios del teatro durante aquel periodo fundamental para su nacimiento futuro como dramaturgo, y mientras sigue escribiendo poesía y su primera obra teatral, *El mayor general hablará de teogonía,* piensa ya en *La noche de los asesinos,* según me confiesa: «porque yo buscaba sueño, un mundo mejor [...] ya *La noche de los asesinos* estaba funcionando, pero no sabía hacerla ¿cómo llegar a hacerla?» En mi opinión, lo que la escritura de *La noche de los asesinos* debe a este momento español de aventura madrileña, es el encuentro mágico, casi ritual, de un joven cubano, impregnado a la vez de su tradición vernácula y de las vanguardias europeas, con una sociedad en la que la palabra era confiscada por un poder omnipresente cuya representación sólo se podía percibir a través de los espejos cóncavos de la deformación estética, según los modelos esperpénticos de Valle-Inclán, de Miguel Mihura, de Buero Vallejo o de Arrabal.

En el año 1959, fecha clave, se produce el triunfo de la revolución cubana; José Triana sale de España entusiasmado y vuelve a su isla, Cuba, el 18 de enero. En La Habana se pone en contacto con el director Francisco Morín, a quien había conocido un año antes en Madrid y con quien había convivido, confiándole su pasión y su interés por escribir teatro[8]. Francisco Morín está en aquel entonces en plena madurez escénica, dirige el grupo de teatro «Prometeo» e invita a Triana a presenciar los montajes y a lanzarse a la escritura teatral. De ahí

---

[8] Francisco Morín, famoso director cubano, montó en Cuba, a partir de 1945, gran parte de la producción teatral europea de vanguardia: Audiberti, Genêt... así como la obra del cubano Virgilio Piñera, *Electra Garrigó,* en 1948 con el grupo «Prometeo».

nace la idea de Medea, que se convertirá en *Medea en el espejo,* estrenada en diciembre de 1960, en la Sala Teatro Prometeo, bajo la dirección de Francisco Morín, y vestuario y escenografia de Andrés García. Sucedía este estreno al de *El mayor general hablará de teogonía* en el mes de octubre anterior, en la sala de Teatro Arlequín bajo la dirección de David Camps. José Triana entraba de lleno en el mundo del teatro al mismo tiempo que vivía los primeros tiempos del realismo socialista al estilo cubano.

Entre 1960 y 1966 se nota una intensa actividad creativa por lo que se refiere a nuestro dramaturgo. Impulsado por el éxito de *Medea en el espejo* y alentado por Francisco Morín, José Triana escribe simultáneamente *El parque de la fraternidad, La casa ardiendo, La visita del ángel,* tres obras en un acto, y empieza *La muerte del ñeque* en 1962. El mismo año, el Teatro Prometeo estrena *El parque de la fraternidad* y *La casa ardiendo*, en el ámbito de la «Jornada mundial del Teatro», con dirección de Francisco Morín y escenografía y vestuario de Andrés García. En 1963 se publica una antología de teatro cubano breve, selección y prólogo de Rine Leal, con *El mayor general hablará de teogonía.* Termina *La muerte del ñeque,* que Prometeo estrena en su propia sala, con dirección de Francisco Morín y escenografía de Isaac Vermal: la pieza se repone en diciembre de 1964 con el mismo elenco. Pero José Triana no está satisfecho con ella, y se siente prisionero de un juego donde el poder afirma cada día más su omnipresencia: «estaba lleno de tensiones y el tema no lo podía tratar como lo quería, ya la presión del poder, tú sabes "con la revolución todo y contra la revolución nada"». Por eso, treinta y dos años más tarde revisará la obra publicada por primera vez en 1964, dándole más fuerza vital, más comprensión del *fatum.* En la primera versión, el héroe Hilario García es el chivo expiatorio o el catalizador de la venganza de una sociedad que sufre y es víctima de las exacciones y de la corrupción de los que detentan el poder. Hilario ha alcanzado ese poder eliminando a amigos y a enemigos, y son precisamente los que sufrieron su ambición quienes deciden condenarlo a muerte. Por eso Hilario puede salir a escena en el tercer acto para reconocer sus faltas y responder a las acusaciones de su mujer Blanca Estela:

BLANCA ESTELA.—¡Que se cumpla el destino!

HILARIO GARCÍA.—[...] Ahora tú me tiras en cara. Ahora tú te unes al coro de los que me gritan: que soy esto, que soy lo otro, que soy lo de más allá [...] ahora tú me vas a poner los muertos delante para que me juzguen... Ahora, tú vas a defender a los otros... [...] ¿Esto es acaso un circo romano? ¿Dónde están los jueces? (*Riéndose, señalando al público.*) ¿Son ésos? [...] ¿Dónde, dígame, dónde está mi mujer? [...] ¿Dónde está mi madre? [...] Estoy solo [...] ¿Dónde está mi hijo? *(Grita.)* Pablo, Pablo [...] lo he perdido. [...] Es demasiado tarde [...] ¿Dónde estoy? *(Al público.)* ¿Qué quieren que haga?[9].

En la segunda versión en 1996, versión todavía inédita que espera estreno y publicación, Hilario ha perdido su máscara de hombre incrédulo y desesperado, y el coro representado por «Pepe, mulato. Juan el cojo, negro. Ñico, blanco» (metáfora del mestizaje cubano), interviene directamente en la acción dramática como mano inexorable del cumplimiento del destino de Hilario García. Las preguntas melodramáticas del personaje, su angustia existencialista ante lo que va a pasar, se han borrado, así como la visión maniquea de los buenos y los malos, a pesar de la presencia de los «cantos del orile» sobre los que José Escarpanter ya subrayaba: «los ceremoniales afrocubanos se entonan para espantar a los malos espíritus e invocar a los buenos»[10].

Los cambios relevantes en la reescritura de *La muerte del ñeque* (1996) aparecen esencialmente en el acto III, es decir, en el amplio diálogo entre Blanca Estela e Hilario, antes del asesinato final:

BLANCA ESTELA.—¡Que se cumpla el destino!

HILARIO GARCÍA.—¡Sí que se cumpla! Ahora me tiras en cara... Ahora te unirás al coro de los que gritan, que soy

[9] José Triana, *La muerte del ñeque*, La Habana, Ediciones R., 1964, págs. 125-126 (primera versión).

[10] José Escarpanter, «Elementos de la cultura afrocubana en el teatro de José Triana», en *Palabras más que comunes (ensayos sobre el teatro de José Triana)*, Boulder, Society of Spanish and Spanish-American Studies, University of Colorado, 1994 (compilador F. Kirsten Nigro), pág. 38.

esto, que soy de más acá, que soy de acullá. Ahora pondrás a los muertos delante para que me juzguen... Ahora defenderás a los otros... [...] ¿Es esto un circo romano? ¿Dónde los jueces? *(Riéndose. Señala al público.)* ¿Esos? [...] Estoy solo. [...] Me sentaré a esperar la muerte. (*Se dibujan en la sombra los personajes, por diferentes lugares.)* Váyanse. La muerte es un instante y es mejor estar solo. *(Los personajes se evaporan. Pausa.)* Mi alma es una olla de grillos, una esfera de papeles estrujados. *(Pausa.)* Ah, el olor de las gardenias y de los jazmines. *(Respira hondo.)* Uno se fortifica. La noche de tan azul te convierte en azul y las estrellas bajan a la palma de tu mano. Es hermoso...[11].

Víctima y culpable a la vez, Hilario se enfrenta ahora a su situación, se niega a someterse, y asume su destino, su «salación», su «ñeque»[12], es decir, su condición de héroe trágico[13]. Esta segunda versión de *La muerte del ñeque* (1996) es una versión «desde la otra ribera», según la famosa fórmula valleinclanesca, una versión con distancia en el tiempo y en el espacio, «mirando, mi historia, mirando mi personaje, mirándolo todo, mirando lo humano, lo generoso», en palabras de José.

Desde *El mayor general hablará de teogonía* (1957-1960) hasta *La muerte del ñeque* (1962-1964), pasando por *Medea en el espejo* (1960) y *El parque de la fraternidad* (1962), notamos una

[11] José Triana, *La muerte del ñeque*, París, 1996 (inédito), pág. 46, copia dactilografiada (segunda versión).

[12] «salación», «ñeque»; estas palabras afrocubanas, además de inscribir la obra y la escritura de Triana en una tradición popular, señalan, para el personaje Hilario, la falta de alternativa y la fuerza del destino. Fernando Ortiz en *Glosario de afronegrismos*, La Habana, Editorial de Ciencias Sociales, 1991, las define así: «Cuando a un individuo le persigue la mala suerte [...] se dice que tiene la *salación* encima, que está *salao* o que está *ñeque*. La salación depende del hechizo de un enemigo o de algún poder sobrenatural que se complace en mortificar y desgraciar una persona por todos los medios» (pág. 357).

[13] Por lo que se refiere a la tragedia o a lo trágico en el teatro cubano, véase el ensayo de Robert Lima, «Elementos de la tragedia griega en las obras tempranas de José Triana», en F. Kirsten Nigro (comp.), *Palabras más que comunes (ensayos sobre el teatro de José Triana)*, ed. cit., y la tesis de doctorado de Christilla Vasserot, *Les avatars de la tragédie dans le théâtre cubain contemporain (1941-1968)*, París, Sorbonne-Nouvelle, 1999 (bajo dirección del profesor Claude Fell; miembros del jurado: doctor Osvaldo Obregón, doctor Daniel Meyran, doctor Claude Fell, doctor Françoise Moulin-Civil).

Entrega de los Premios Casa de las Américas, 1965. De izquierda a derecha: Alcides Pérez, José Triana, Héctor Quintero, Joaquín Cuartas y Miguel Galich, leyendo el acta.

evolución en la escritura dramatúrgica de José Triana a la vez que una unidad que le conduce a soñar, pensar y escribir *La noche de los asesinos* en 1964. Pero, «¿cómo decirlo todo? ¿Cómo testimoniar sobre todo lo que vi?», se pregunta Triana; «habían pasado cosas tan graves: juicios sin abogados, el fiscal era el único en tener la palabra, no había defensor ni de oficio».

> ¿Es eso un circo romano? ¿Dónde están los jueces? *(Riéndose. Señalando al público.)* ¿Son ésos?...

Eso es lo que grita, asombrado, Hilario García. La policía, los jueces, el fiscal, irrumpen en el escenario de *La noche de los asesinos:*

> BEBA.—*(Como un juez.)* Ruego al público que [...] *(a* CUCA) tiene la palabra el señor fiscal.
>
> [...]
>
> CUCA.—*(Como un fiscal. Solemne.)* [...] Por tal motivo someto a la consideración de la sala las siguientes preguntas: ¿puede y debe burlarse a la justicia? [...][14].

Sin embargo, faltan todavía los defensores, los abogados. La colusión entre la justicia, la libertad y el poder se hace más apremiante, más agobiante. La obra terminada en 1965 gana el Premio Casa de las Américas y se publica inmediatamente. Con *La noche de los asesinos* logra Triana su viejo proyecto de búsqueda de una síntesis expresiva y de transformación del teatro en una danza de muerte y de vida. Es su obra cumbre y quizá lo sea también del teatro cubano contemporáneo: «una obra capital, si no la mayor, de nuestro teatro», confirma Rine Leal poco antes de su temprana muerte[15]; una obra que llega en su momento como toma de conciencia de que se está operando un cambio entre los intelectuales y el poder. A los sueños de los primeros años revolucionarios que confor-

---

[14] José Triana, *La noche de los asesinos*, cfr. *infra*, págs. 111-112.

[15] Rine Leal, «Asumir la totalidad del teatro cubano», *Encuentro*, cit., pág. 198.

Dos momentos del estreno en Cuba, en diciembre de 1966, de *La noche de los asesinos,* en el Teatro Estudio de La Habana. Puesta en escena de Vicente Revuelta. Actores: Vicente Revuelta, Ada Nocetti y Miriam Acevedo.

man un momento de gran creación cultural, un momento de fiesta, de intercambio dentro del mundo teatral (fundación de La Casa de las Américas y del Instituto Cubano de Arte e Industria Cinematográficos en 1959; Primer Congreso Nacional de Escritores y Artistas de Cuba, creación del Congreso Nacional de Cultura, apertura de la Escuela de Instructores de Arte en 1961; creación del Teatro Nacional e inicio de las actividades de seminario de actividades del Teatro Nacional; en 1964 aparece el primer número de la revista *Conjunto...)*, suceden poco a poco las dudas ante las intervenciones del poder contra la libertad de expresión. En 1961 Fidel Castro pronuncia sus «Palabras a los intelectuales», se censura el cortometraje *P. M.*, desaparece *Lunes de revolución*, y sobre todo se consigna el cierre, en 1965, por decisión del Consejo Nacional de Cultura, del Teatro Estudio dirigido por Vicente Revuelta bajo sospecha de «homosexualismo ostensible y otras conductas socialmente reprobables». El Teatro Estudio permaneció siete meses clausurado, y José Triana, en un acto de solidaridad y porque quería que Vicente Revuelta fuera el director de su obra, tuvo que esperar la reposición de los actores de teatro en mayo de 1966, para que Vicente Revuelta montara su obra *La noche de los asesinos*, el 4 de noviembre de 1966, en el Teatro Estudio, sala Hubert de Blanck, dentro del VI Festival de Teatro Latinoamericano Casa de las Américas, obteniendo el Premio Gallo de La Habana, máxima distinción recibida por un espectáculo. Desde el punto de vista de la puesta en escena y de la actuación, Vicente Revuelta, el director, concibió el trabajo actoral para dos equipos, seis actores en total[16], que si bien se intercambiaron después del estreno, en la mayoría de las funciones se mantuvieron separados. Un grupo era más maduro que otro para enfocar precisamente dos visiones complementarias de un mismo fenómeno. Roberto Gacio Suárez, actor e investigador cubano, testimonia:

> Rememoramos a la distancia de veinticinco años transcurridos, que el equipo de los más experimentados enfrentaba

[16] El reparto era el siguiente: Vicente Revuelta o Adolfo Llauradó (Lalo); Miriam Acevedo o Flora Lauten (Cuca); Ada Nocetti o Ingrid González (Beba).

> el proceso de la representación del posible asesinato como un hecho muy reiterado, un suceso en el cual habían desgastado sus vidas, un rito que conocían hasta la saciedad, inacabable, en el cual habían dejado lo mejor de sí, pero que era indispensable para seguir viviendo. Por otra parte, los más jovenes se nos antojaban como al inicio de estas sesiones rituales en las cuales se iban reconociendo, de las que aprendían día a día[17].

La pieza de Triana obtuvo un éxito considerable, a pesar de las distintas lecturas que se hicieron a partir de la representación: un arreglo de cuentas entre hermanos, pero un arreglo de cuentas que plantea el problema de la familia, del orden, de la relación con el poder. Por todo ello, en 1967, Triana, Revuelta y todo el equipo del estreno de *La noche de los asesinos* emprenden una gira por Europa, invitados por el Teatro de las Naciones en París. Del Odéon (Teatro de las Naciones) pasan al Festival de Aviñón donde presentan once funciones, al mismo tiempo que la pieza se traduce al inglés y se monta en Londres por la Royal Shakespeare Company. Representan también la obra en el Festival Internacional de Venecia, después en el Festival del Joven Teatro de Lieja y más tarde en Ginebra durante cinco funciones. Viajan por más de ocho ciudades de Italia (Turín, Milán, Florencia, Roma, Nápoles, Bari...), donde inauguran el «Nuevo Teatro», organización que se proponía presentar a grupos experimentales. Posteriormente la obra se traduce a veintiún idiomas y se divulga ampliamente por todos los continentes desde África al Medio Oriente. El éxito internacional se lo debe *La noche de los asesinos* a los temas universales que trata: la familia, matar al padre, el conflicto generacional, la toma del poder..., temas que obsesionaban a toda sociedad, en cualquier parte del mundo, en aquellas fechas de los años sesenta; pero debe también su éxito a una teatralidad y a una puesta en escena muy novedosa. Treinta y cuatro años después Triana lo juzga:

---

[17] Roberto Gacio Suárez, «*La noche de los asesinos*, puesta en escena de Vicente Revuelta», *Escena Latinoamericana*, núm. 1, México, CITRU, febrero de 1993, pág. 29.

> La obra va cargada de toda una aureola. Está el atrevimiento en poner a los hijos a soñar la muerte de sus padres, que posiblemente sea una de las enormes obsesiones que tiene toda sociedad, es decir cómo deslindar el mundo primario de la adolescencia y llegar a ser adulto. Por eso tal vez la obra se monta tanto, vaya caminando sola[18].

La gira por Europa termina a fines de 1967, evitando España, por decisión de las autoridades cubanas (¡franquismo obliga!). Y el grupo vuelve entusiasmado a La Habana.

El año 1968 abre una nueva etapa en las relaciones entre el intelectual y el poder, e impone un alto a la libertad de pensamiento, a la libertad cultural. El primer seminario nacional de teatro se organiza a fines de 1967 (del 14 al 20 de diciembre) para dictaminar la política teatral que se debe seguir en Cuba. Se invita a toda la gente interesada por el teatro: actores, autores, profesionales, entre ellos José Triana[19]. Es un momento clave, ya que se confirma la fuerte voluntad de orientar definitivamente la producción teatral cubana en los rieles ya enunciados en 1961 por Fidel Castro[20], condenando así al silencio a los que no entraban en el molde. La declaración de principios redactada una vez terminadas las sesiones del seminario y publicada inmediatamente, a principios de 1968, por el Ministerio de la Cultura, pone el acento en el hecho de que:

> [...] se trata de asumir una posición crítica, para, desde ella, ayudar en la medida de nuestras fuerzas a la Revolución y consecuentemente ser enriquecidos por la crítica. Hay que

---

[18] Cfr. Christilla Vasserot, «José Triana entrevisto», *Encuentro*, cit., pág. 39.

[19] Participan en el seminario: José Triana, Vicente Revuelta, Virgilio Piñera, Abelardo Estorino, Antón Arrufat, Armando Suárez, Raquel Revuelta, Nicolás Dorr, Carlos Felipe, José Ramón Brene, Sergio Corrieri entre otros al lado de «más de mil hombres y mujeres de teatro que discuten sobre su responsabilidad para ayudar al teatro a reencontrar su potencial de medio de comunicación dialéctico y vivo»; Rosa Ileana Boudet, «Veinticinco aniversario del teatro en la revolución», *Conjunto*, núm. 60, La Habana, 1984, pág. 12.

[20] Fidel Castro, *Palabras a los intelectuales*, México, ERA, 1972: «dentro de la revolución todo, fuera de ella nada», pág. 163.

RSC in the British premiere of

JOSE TRIANA'S

the criminals

adapted by ADRIAN MITCHELL

. . . Can we only love
Something created by our own imagination?
Are we all in fact unloving and unlovable?
Then one *is* alone, and if one is alone
Then lover and beloved are equally unreal
And the dreamer is no more real than his dreams.

T. S. Eliot

CUCA	BRENDA BRUCE
BEBA	SUSAN FLEETWOOD
LALO	BARRIE INGHAM

Directed by TERRY HANDS

Designed and lit by JOHN BURY

Assistant to the designer TONY LEAH

There is one interval of fifteen minutes

Programa de la Royal Shakespeare Company para la representación en Londres en 1967.

romper en todo lo que frene nuestro desarrollo, saliéndole al paso a las desviaciones ideológicas y poner nuestra creación al servicio del pueblo[21].

Están fijados los objetivos que permiten a la vez el nacimiento de un teatro dentro del realismo socialista con el grupo «Escambray», por ejemplo, que se constituye colectivamente el mismo año, y la marginación de otro teatro acusado de «desviación»: el de Virgilio Piñera, Antón Arrufat o José Triana. El seminario ha permitido revelar un teatro crítico nuevo, pero impone una posición crítica hacia una sola dirección, lo que le quita su carácter crítico y dialéctico respecto a la sociedad, limitándolo sólo a ser portavoz de una ideología. Con ello se comprende mejor lo que va a pasar en octubre de 1968, cuando se reúne la Unión de Escritores y Artistas de Cuba (UNEAC) para conceder sus premios de poesía y teatro que acaban convirtiéndose en dos hechos históricos de gran resonancia para el futuro. El poeta Heberto Padilla recibe el premio de poesía por su obra *Fuera de juego,* mientras el dramaturgo Antón Arrufat se ve premiado por su pieza *Los siete contra Tebas*. Las dos obras desencadenan una fuerte polémica por su contenido ideológico y a sus autores se les acusa violentamente de transmitir valores e ideas contra los intereses de la Revolución. Se publica la pieza en la casa editorial Unión con un prólogo particular, «Declaración de la UNEAC», que procede directamente de las recomendaciones afianzadas en la «Declaración de principios» del seminario nacional de teatro y que rechaza el «contenido ideológico del libro de poemas y de la obra teatral premiados [...] tal medida será altamente saludable para la Revolución, porque significa su profundización y su fortalecimiento al plantear abiertamente la lucha ideológica»[22]. Además, dos de los miembros del jurado (Raquel Revuelta y Juan Larco) dejan de solidarizarse con la decisión de atribución del premio y se asocian a la declaración de la UNEAC. En la revista *Verde olivo,* órgano

[21] «Declaración de principios del primer seminario nacional de teatro», La Habana, publicación del Ministerio de la Cultura, 1968.

[22] Antón Arrufat, *Los siete contra Tebas*, La Habana, Unión, 1968, pág. 11.

A Project of **THEATRE INCORPORATED**
T. EDWARD HAMBLETON, Managing Director

presents

THE CRIMINALS

by

Jose Triana

Adapted by Adrian Mitchell

PENELOPE ALLEN **BARRY PRIMUS** **LINDA SELMAN**

Directed by

DAVID WHEELER

Scenery & Lighting
JAMES TILTON

Costumes
NANCY POTTS

Stage Manager: DANIEL FREUDENBERGER

Under the Supervision of **JOHN HOUSEMAN,** Producing Director

Programa de la representación neoyorkina en el Teatro Phoenix, en Broadway, 1969.

de las fuerzas armadas, el 17 de noviembre, Leopoldo Ávila ataca violentamente a Antón Arrufat y a José Triana (miembro del jurado y defensor de los dos premiados) por «inversión sexual» y «cosas contra-revolucionarias»[23]. Ricard Salvat, el director catalán que formaba parte también del jurado del famoso premio de teatro[24], testimonia y escribe en 1992:

> Fue un momento absolutamente decisivo en que algunos espíritus libres alertaron del peligro de que surgiera un cierto estalinismo en la isla, en aquel momento, aún ilusionado y esperanzado con los logros de la revolución. En aquellos días tuvimos la impresión de que se clausuraba una época[25].

Padilla entra en disidencia abierta, Arrufat se calla y Triana está condenado al olvido oficial. Un mes más tarde, en diciembre de 1968, en el teatro Lyceum Lawn Tennis, Rubén Vigón repone y dirige, ocho años después del estreno, *El mayor general hablará de teogonía,* con el grupo de jóvenes actores titulados de la Escuela de arte dramático de Cubanacán, «una sola función [comenta Triana], la del reestreno, al censurarla el vicepresidente del Consejo Nacional de Cultura, Lisandro Otero»[26]. Y luego, el silencio, las vejaciones, la neblina ante la mirada ajena y la imposibilidad de representar. Sin embargo, José Triana sigue escribiendo para luchar, para enfrentarse con los obstáculos y vencerlos, o «si no vencerlos, me decía, a lo menos vencerlos al crear una pieza. A partir de este momento escribí todas mis obras con una especie de furor de vida». Dos ejemplos de la expresión teatral de aquella necesidad vital que experimenta entonces Triana son *Revolico en el campo de Marte,* en 1972 y *Ceremonial de guerra,* en 1973.

---

[23] Leopoldo Ávila, «Antón se va a la guerra», *Verde olivo,* La Habana, 17/11/1968, pág. 18.

[24] El jurado del premio de teatro UNEAC en 1968 lo componían: Ricard Salvat (España), Adolfo Gutkin (Argentina), Juan Larco (Perú), Raquel Revuelta y José Triana (Cuba).

[25] Ricard Salvat, «A propósito de *Cruzando el Puente*», *Cruzando el Puente,* Valencia, Trapezi, 1992, pág. 7.

[26] José Triana, *El tiempo en un acto: 13 obras de teatro cubano,* Nueva York, Ollantay Press, 1999 (con selección y prólogo de José Triana), pág. XXXV.

Revolico en el campo de Marte (1972) fue leída en 1981 en el Darmouth College (Estados Unidos) bajo la dirección del propio autor, luego en 1985 en el Festival de Teatro de Sitges (España) y publicada y revisada en el número 19 de la revista *Gestos,* Universidad de Irvine (Estados Unidos), en 1995[27].

Lo que destaca en esta pieza es el manejo de la teatralidad al servicio de la parodia, de la farsa vivida cotidianamente por los cubanos. Al estilo esperpéntico nos cuenta, en versos, la historia de una serie de parejas que se intercambian constantemente y que ostentan un desajuste sexual, social y económico en un ambiente moralmente deformado y prostituido por una sociedad que sólo confía en las máscaras y las apariencias «a principios de 1900 o 1917». Además el título mismo, *Revolico en el campo de Marte,* indica la referencia humorística al teatro «bufo», con la deformación de «Revolución» en «Revolico», y la alusión directa al fantoche grotesco de los esperpentos valleinclanescos de *Martes de carnaval:* la revolución al hacerse «revolico» se vuelve farsa, teatro, espectáculo[28].

Ceremonial de guerra, pieza escrita en 1973, no se estrenó y no se publicó hasta 1990 en Honolulú, en la casa editorial Persona. Aunque la pieza está fechada en 1973, el autor indica que empezó a concebirla en 1968, es decir, en medio de la tormenta que había provocado la obra *Los siete contra Tebas* de Antón Arrufat. El escenario es la guerra de la Independencia de Cuba en 1895 y la fábula de la pieza se construye en torno a la búsqueda de la verdad por parte de Aracelio, el protagonista esencial: «... Para que la verdad sea reconocida es necesario que se le mezclen algunos datos inverosímiles, algunas mentiras»[29]. De nuevo queda clara la alusión a la deformación producida por la Revolución. *Ceremonial de guerra*

---

[27] José Triana, *«Revolico en el campo de Marte»,* en *Gestos,* núm. 19, abril de 1995, Irvine University, Estados Unidos, págs. 139-205 (con una interesante presentación de Priscilla Meléndez: «Politicemos el humor y riámonos de la política: *Revolico en el campo de Marte* de José Triana»).

[28] Cfr. Diane Taylor, *Theater of crisis: drama and politics in Latin America,* Lexington, U.P. of Kentucky, 1991.

[29] José Triana, *Ceremonial de guerra,* Honolulú, Editorial Persona, 1990, pág. 16.

es otra respuesta, otro grito, al caso Arrufat, que fue uno de los factores determinantes de lo que Triana llama su «muerte cívica». Pues la crisis entre Triana y el poder, que ya se manifiesta en *La noche de los asesinos* (1965), se afianza y cobra un rumbo más amargo y más desilusionado tanto en *Revolico en el campo de Marte* (1972) como en *Ceremonial de guerra* (1968-1973).

José Triana sale de Cuba, toma el camino del exilio, y se establece en París en 1980. Traductor, editor, conferenciante, poeta, no olvida el teatro y escribe *Palabras comunes,* adaptación teatral de una novela clásica en la narrativa cubana *Las honradas* (1917) de Miguel de Carrión. La pieza se estrena el 4 de septiembre de 1986 en el teatro de Stratford-upon-Avon por la Royal Shakespeare Company, y el 25 de marzo de 1987 en Londres en The Pit. Junto con *La noche de los asesinos, Palabras comunes* es la segunda pieza de Triana montada por la prestigiosa compañía inglesa, dándole un nuevo impulso internacional. Con *Palabras comunes,* José Triana emprende un trabajo de memoria, una indagación en el pasado de su país, en su historia, desde la Independencia hasta la I Guerra Mundial, de 1894 a 1914. José A. Escarpanter, en la presentación que hace en su edición madrileña de 1991, habla de los hallazgos dramatúrgicos de Triana: la estructura circular, para reforzar la temática de la pieza que describe

> como el texto narrativo en que se inspira, la precaria situación de la mujer cubana en los inicios republicanos, sujeta a las normas inflexibles de aquella sociedad patriarcal; pero también ofrece un amplio fresco de la corrupción política y social de la época, que en cierto modo sirve para explicar algunos sucesos de la historia futura de la isla[30].

Exiliado, José Triana revisa efectivamente su pasado y como dramaturgo emprende una búsqueda de reconstrucción de memoria histórica, en la medida en que esa memoria puede salvar al pasado, pero sólo para servir tanto al pre-

[30] José A. Escarpanter, «Introducción», en José Triana, *Teatro (Medea en el espejo, La noche de los asesinos, Palabras comunes),* Madrid, Verbum, 1991, pág. 11.

Anuncio de la puesta en escena en el Théâtre Déjazet, París, 1985.

sente como al futuro[31]. A partir de ese momento las últimas obras de Triana se asentarán en la época actual: *Cruzando el puente*, de 1991, es leída en Ollantay Center (Estados Unidos), y estrenada y publicada en 1992 en Valencia por el grupo «Trapezi», dirigido por Ricard Salvat; *La fiesta*, escrita en 1992, y *Ahí están los tarahumaras*, en 1993, no se estrenaron, sólo se publicaron, la primera en 1995 en *Teatro: 5 autores cubanos* por el Ollantay Center y la segunda en 1997 en la revista *Encuentros de cultura cubana* en Madrid. La época es la actualidad en La Habana, en Miami o en cualquier parte, pero los temas siguen siendo idénticos: la familia, el desamor, el arreglo de cuentas, que sirven para representar la realidad cubana y quitarle su máscara, para revelar un instante de verdad de un ser humano confrontado con su historia: «representar el pasado es repasar el presente», escribe el dramaturgo mexicano Juan Tovar[32]. Eterno dilema encontrado también por José Triana a lo largo de su itinerario de dramaturgo y poeta. Tal vez por eso ha revisado en 1995 *Revolico en el campo de Marte* (1972); ha reescrito en 1996 *La muerte del ñeque* (1964); y, en el año 2000, nos propone una revisión de *La noche de los asesinos* (1965), en el marco de esta edición. Recuerdo un comentario que me hizo José durante nuestra entrevista del verano de 2000, en su «solar» parisino, a propósito de la escritura de *La noche de los asesinos:*

> La Historia es importante, ésta es la que mueve, pero no la Historia en grande sino la historia en pequeño que después hace la grande y la grande hace la pequeña, la interrelación que existe entre estas historias, esas dos formas de ver la Historia. Cómo verlas a partir de gente que no son de las que forman la Historia. No buscar al héroe sino todo lo contrario, buscar a los abandonados, al lumpen-proletario, a los nunca reconocidos, a ese tipo de gente extraña que tiene una dimensión trágica.

---

[31] Cfr. Daniel Meyran, «Teatro e Historia, teatralidad e historicidad», *Teatro e Historia, Marges*, núm. 19, Perpiñán, CRILAUP/PUP, 1999, pág. 9-20.

[32] Juan Tovar, *La Madrugada*, en *Las adoraciones y otras piezas*, México, Lecturas Mexicanas, 1986.

Análisis de «La noche de los asesinos»

Lalo, Cuca y Beba, tres hermanos adultos que juegan como tres niños, se encierran, como suelen hacerlo, en el último cuarto desván de su casa (pero bien podría ser un sótano, según informan las didascalias introductorias) para representar el asesinato de sus padres o mejor dicho el juego del asesinato. Desde las primeras palabras del primer acto el espectador sabe que se trata de una representación repetida en varias ocasiones:

> Lalo.—Cierra esa puerta. *(Golpeándose el pecho. Exaltado, con los ojos muy abiertos.)* Un asesino. Un asesino. *(Cae de rodillas.)*
> Cuca.—*(A* Beba.) ¿Y eso?
> Beba.—*(Indiferente. Observando a* Lalo.) La representación ha empezado.
> Cuca.—¿Otra vez?
> Beba.—*(Molesta.)* Mira que tú eres... ¡Ni que esto fuera algo nuevo![33].

Como si se tratara de un ceremonial exorcista, los tres interpretan todos los papeles en frecuentes desdoblamientos: los vecinos, los padres, los policías, los jueces, y teatralizan un mundo que refleja los conflictos familiares, las apariencias y las convenciones contra las que quieren rebelarse. El juego que emprenden se vuelve una verdadera conspiración contra los padres de la que nadie puede escaparse, un ritual macabro, a puerta cerrada, repetido *ad infinitum,* ya que saben que no podrán cumplir el acto liberador. Primero es necesario conformar las reglas del juego entre ellos y competir en crueldad. Luego, una vez cometido el parricidio, Lalo, el asesino potencial, será sometido a un interrogatorio por parte de sus hermanas/policías, juez y fiscal. Al final de la representación, es decir, del juego, «un juego endiablado», todo vuelve a empezar. Pero ahora es Beba quien dirige:

---

[33] José Triana, *infra,* pág. 75.

BEBA.—*(Seria de nuevo.)* Está bien. Ahora me toca a mí[34].

El tiempo de la acción es «cualquiera de los años cincuenta», informa el autor, como si quisiera, de antemano, evitar lo inevitable, a saber, una lectura histórica y circunstancial de la pieza: «Porque la gente interpretó la obra de inmediato, asociándola a lo político y la juzgaron nociva», a pesar de su éxito:

> un ataque a la idea revolucionaria, cuando yo al contrario estaba recordando que existía un acto revolucionario de transformación que no estaba exclusivamente vinculado con leyes, sino que había un saneamiento por hacer, una reflexión interna profunda para lograr el verdadero acto revolucionario. Todo eso se tergiversó. Otro aspecto visible nos lleva al convencimiento de que el castrismo se fundamenta en la concepción pequeño burguesa de la vida y yo estaba asestándole un golpe...»[35].

Los tres hermanos invaden el espacio teatral (constituido por el escenario y la misma sala del teatro) para gritar su malestar, para revelar a través de su juego organizado el fracaso individual impuesto por una sociedad que no les hace caso, que les oprime, que les reduce a la condición de títere y de objeto. Por ello se encierran en el desván, en medio de trastos y objetos en desuso, para ensayar una nueva forma, una nueva representación, un nuevo deseo metafórico de cambiar el orden de las cosas en la casa:

> LALO.—[...] En esta casa el cenicero debe estar encima de la silla y el florero en el suelo.
> CUCA.—¿Y las sillas?
> LALO.—Encima de las mesas.
> CUCA.—¿Y nosotros?
> LALO.—Flotamos con los pies arriba y la cabeza hacia abajo.
> CUCA.—*(Molesta.)* Esto me luce fantástico. ¿Por qué no lo hacemos? Estás inventando una maravilla[36].

---

[34] *Ídem*, pág. 128.
[35] Christilla Vasserot, «José Triana entrevisto», cit., pág. 39.
[36] José Triana, *infra*, pág. 76.

En ese espacio cerrado reforman y reorganizan todo a su gusto: el cuarto, la casa, la sociedad, según el principio de inversión/subversión/transgresión, tanto en lo que concierne al objeto escénico como en lo que concierne a su propio ser. La canción-*leitmotiv* que entona Lalo, «La sala no es la sala. La sala es la cocina. El cuarto no es el cuarto. El cuarto es el inodoro», participa del mismo juego: destruir el orden familiar para imponer otro, y conceptualiza el desorden casero ya señalizado por el desplazamiento de los objetos en el lugar escénico.

«Hay que destruir los fantasmas, los mitos de las relaciones familiares», declara Vicente Revuelta a Abelardo Estorino después del estreno de la pieza[37]. Durante todo el primer acto los tres hermanos se excluyen del territorio familiar, del territorio de los padres, para atacarlo mejor desde el interior. Si lo atacan, si se rebelan contra la autoridad paterna, es porque la sienten castradora y apremiante en su cotidianidad:

> LALO.—[...] Esta silla yo quiero que esté aquí [...] Papá y Mamá no lo consienten. Creen que está fuera de lógica. Se empeñan en que todo permanezca inmóvil, que nada se mueva de su sitio... Y eso es imposible; porque tú Beba y yo... *(En un grito.)* Es intolerable...[38].

Y un poco después:

> LALO.—[...] Yo quiero mi vida [...] para decir y hacer lo que deseo o siento. Sin embargo, tengo las manos atadas. Tengo los pies atados. Tengo los ojos vendados. [...] Mamá y papá son los culpables [...][39].

Lalo actúa como el portavoz de sus hermanos, e incluso en los insoportables momentos de crisis para el juego que no se puede abandonar; después del parricidio fingido, Beba, que

---

[37] Abelardo Estorino, «Destruir los fantasmas, los mitos de las relaciones familiares» (entrevista con José Triana y Vicente Revuelta a propósito de *La noche de los asesinos), Conjunto*, núm. 4, La Habana, agosto-septiembre de 1967, págs. 6-14.

[38] *Infra*, pág. 84.

[39] *Ídem*, pág. 85.

no puede aguantar la tensión, toma por su cuenta la argumentación de Lalo:

> CUCA.—*(A* BEBA.) Tú te quedas quietecita.
> BEBA.—[...] Yo no me pudriré en estas paredes que odio. Allá ustedes que les gusta revolver los trapos sucios. Tengo veinte años y el día menos pensado me largo para no volver y entonces haré mi santa gana [...][40].

Pero eso no significa que los tres hermanos sigan siempre el mismo camino. El conflicto generacional se desdobla en conflicto entre hermanos y el autor pone en escena un enfrentamiento feroz desde la primera secuencia del primer acto, entre Lalo y Cuca, que se las da de defensora de los padres:

> CUCA.—*(Sacudiendo los muebles con el plumero.)* No estoy para esas boberías[41].

Y más adelante, dirigiéndose a Lalo:

> CUCA.—Pero, ¿por qué te ensañas con papá y mamá? ¿Por qué les echas la culpa? [...]
> CUCA.—No puedes negar que siempre se han ocupado que siempre te han querido [...][42].
> [...]
> CUCA.—Todos los padres hacen lo mismo. Eso no significa que tú tengas que virar la casa al revés[43].
> [...]
> CUCA.—Pues yo no te apoyo. ¿Me entiendes? Los defenderé a capa y espada, si es necesario. [...] No, yo no puedo oponerme[44].

Esta situación dramática, que rompe el conflicto entre padres e hijos, da un impulso nuevo a la intriga y contribuye a

---

40 *Ídem,* pág. 102.
41 *Ídem,* pág. 75
42 *Ídem,* pág. 85.
43 *Ídem,* pág. 86
44 *Ídem,* pág. 88.

revelar un juego dentro del juego (pieza dentro de la pieza) que dinamiza la acción dramática y acentúa la visión crítica del público representado en la escena:

> LALO.—*(Divertido. Aplaudiendo.)* Bravo, estupenda escenita.
> BEBA.—*(Divertida. Aplaudiendo.)* Merece un premio[45].

Beba entonces interviene desempeñando el papel del padre, lo imita, y Triana insiste en las acotaciones en la necesaria actuación del personaje: «(Estas intervenciones de Beba serán aprovechadas al máximo desde el punto de vista plástico)»[46]. Beba pone el acento en los quehaceres caseros, símbolos del poder coactivo impuesto por los padres, y ordena a Lalo:

> BEBA.—*(Como el padre.)* Lalo, lavarás y plancharás. Es un acuerdo que hemos tomado tu madre y yo. Ahí están las sábanas, las cortinas, los manteles y los pantalones de trabajo... Limpiarás los orinales. Comerás en un rincón de la cocina. Aprenderás, juro que aprenderás. ¿Me has oído? *(Vuelve hacia el fondo)*[47].

Pero esta inversión del ritual familiar no sucede en cualquier parte, en cualquier espacio. Aquí se trata de un espacio al margen de la casa, «un sótano o el último cuarto-desván», en donde se encierran los tres hermanos para «representar» el mundo de la familia al ritmo de un «cierra esa puerta» al principio de cada acto al que corresponde un «abre esa puerta» al final. Un espacio-teatro que significa la marginalidad existencial de los tres jóvenes, donde pueden dar rienda suelta a su imaginación y a su crueldad.

Este espacio se construye como un lugar escénico, es un teatro en el sentido etimológico de la palabra, es decir, «un lugar de donde se puede ver otro lugar», y los hermanos-personajes están aquí en el cuarto-desván/escenario para representar el drama del asesinato de sus padres. Son conscientes además de que están representando y cada uno a su vez se vuelve poeta,

---

[45] *Ídem*, pág. 88.
[46] *Ídem*, pág. 87.
[47] *Ídem*, pág. 87.

se vuelve creador de su propia pieza dentro de la pieza, ¡«mise en abîme» obliga!

La escenografía que escoge Raúl Oliva para la puesta en escena de *La noche de los asesinos,* el 4 de noviembre de 1966, es esclarecedora para el espectador del estreno. No se trata sólo de «un sótano o último cuarto-desván», sino que se trata de un verdadero teatro con un tablado/escenario, un entarimado cuya estructura de tablas entrecruzadas no se disimula, con unos objetos escénicos repartidos a su alrededor, con unos espejos al fondo del escenario que reflejan a los actores, que representan su propia actuación para los espectadores de la sala. Los personajes que salen a la escena son tanto los actores como los propios espectadores. Desde «La representación ha empezado», que pronuncia Beba al principio del primer acto, hasta «Está bien. Ahora me toca a mí», con que Beba concluye el segundo y último acto, los tres hermanos van a representar todos los papeles, desdoblándose y asumiendo varias identidades, tomando diversas máscaras: las de los padres, las de Margarita y Pantaleón, la de Angelita, los policías, el juez, el fiscal, los señores del jurado, los de la sala y las suyas propias de Lalo, Beba y Cuca. Al mismo tiempo, y sin cambiar de decorado, el escenario se desdobla y se vuelve espacio citado, espacio imaginario: la casa, la Estación de Policía, el tribunal. Por lo general este aspecto «metateatral» y su significación en el teatro de José Triana ha sido tratado por la crítica, particularmente en los estudios de Frank Dauster, Erminio G. Neglia, Kirsten F. Nigro, Ramón Albino o Anne C. Murch. Personalmente pienso que este aspecto es esencial para la comprensión dramatúrgica del teatro de José Triana en particular y del teatro en general, porque, como ya lo he subrayado en otros ensayos, reflexionando sobre el teatro dentro del teatro, el dramaturgo reflexiona sobre su proceso creador, sobre su producción, así como sobre las condiciones en que se produce dicha producción[48]. El discurso del teatro sobre el teatro es

[48] Cfr. Daniel Meyran, *El discurso teatral de Rodolfo Usigli: del signo al discurso*, México, INBA/CITRU, 1993; cfr. Daniel Meyran, «Poder y representación: las puestas en escena del imaginario social», en *Los poderes de la Imagen*, Lille, PUL 1998, págs. 205-212.

Ensayo de la puesta en escena de Roger Blin, en el Théâtre Marigny, en 1972.

siempre un discurso de la sociedad sobre la sociedad. Por eso es un discurso subversivo y temido. Triana pone el acento en la teatralidad, más aún, en la teatralización de sus personajes, hecho que puede consistir en la exageración en el juego o en la deformación hacia lo grotesco ya sea en las acotaciones o en las réplicas. Son frecuentes las siguientes indicaciones: «teatralizando», «luego extiende los brazos en ademán solemne», «haciendo una invocación», «en tono de burla», «tratando de seguir en situación», «inmediatamente después se entrega a la comedia de los fingimientos», «violento, al público», «estas intervenciones serán aprovechadas al máximo desde el punto de vista plástico», «divertido. Aplaudiendo», «exagerando el tono declamatorio», «avanzando al primer plano con gran teatralidad», «Cuca repite su gestualidad»... Todas ellas son acotaciones que aparecen en *La noche de los asesinos,* dirigidas a los actores para definir el juego de los personajes e identificarles como actores de su propia pieza. Esto queda confirmado por la teatralización de las réplicas:

> «BEBA.—La representación ha empezado»; «BEBA.—[...] Es un espectáculo digno de verse»; LALO.—Bravo, estupenda escenita; BEBA.—Merece un premio»; «BEBA.—Vas a repetir la historia»; «BEBA.—La primera parte ha terminado»; «CUCA.—En esta casa todo está en juego»; «LALO.—[...] Estábamos en el último cuarto. Jugábamos... Es decir, representábamos...»; «CUCA.—[...] ¿crees que ha conmovido al público?...»; «BEBA.—Ruego al público que...»; «CUCA.—Es el juego. Vida o muerte. Y no escaparás. Soy capaz de todo con tal de que te juzguen»; «BEBA.—Está bien. Ahora me toca a mí».

Las reglas del juego las fijan Lalo, en el primer acto, y Cuca en el segundo. Los dos actúan como director y escenógrafo, preocupados por todos los aspectos de la representación sin olvidar al espectador, a quien se dirigen directamente para hacerle copartícipe de la acción dramática:

> LALO.—*(Saltando de la silla, violento al público.)* Ya lo ven. ¿No lo dije? A eso vinieron... [...]
> CUCA.—*(Al público.)* Su nombre por favor. Gracias. ¿A la testigo Señora Angelina Martínez?... [...]

El teatro es espectáculo, es un todo espectacular, es decir, una forma de socialización de las relaciones humanas que no implica al espectador como variante sino como constante. La presencia del espectador tanto en la sala como en la escena no es alternativa sino imperativa. Triana lo ejemplifica en *La noche de los asesinos* provocando una verdadera participación emocional. Erminio G. Neglia lo atestigua también y subraya:

> Como los tres hermanos, queremos cambiar el orden de las cosas, destruir la casa, participar en el rito exorcizando nuestros demonios internos, para al final reconocer que quizá tengamos miedo y que prefiramos seguir jugando («Si Beba juega es que no puede hacer otra cosa»)[49].

Bien sabemos que el teatro es una manifestación estética de necesidad de ritual y que el ritual es una modalidad mediante la cual el hombre compone su propia imagen, creyendo así dominar su condición. Todo el espacio espectacular es invadido por las grandes corrientes del inmenso espacio social cuyo mensajero es aquel espectador, a la vez motivante para y motivado por el espectáculo[50].

De esta manera, la visión que se nos ofrece del mundo de Cuba, de la familia, es una visión mediatizada por el autor, por los personajes y por el público. El mundo familiar no está representado en el escenario sino que son los personajes quienes lo representan en su escenario. Es la mirada de los hijos, Lalo, Beba y Cuca, sobre sus padres, la que nos propone José Triana. Una mirada violenta y cruel porque es una mirada vital. Esta violencia, también subrayada por la crítica[51], se conforma con el concepto de crueldad iniciado en Antonin Artaud, y Triana no sólo lo consigue en las palabras sino también en la puesta

---

[49] Erminio G. Neglia, «Algunas notas sobre el espacio en *La noche de los asesinos*», en *El Texto latinoamericano*, Madrid, Fundamentos, 1994, pág. 251.

[50] Cfr. Daniel Meyran, «Interpretación y recepción: el espectador y el intérprete», en D. Meyran, A. Ortiz y F. Sureda, *Teatro, público y sociedad*, Perpiñán, PUP, 1998, págs. 17-22.

[51] Daniel Zalacaín, «El asesinato simbólico en cuatro piezas dramáticas latinoamericanas», *Latin American Theatre Review*, núm. 19/1, Lawrence, University of Kansas, 1969, pág. 7; y Jesús Barranco, «Artaud y *La noche de los asesinos*», *Encuentro*, cit., pág. 46.

en escena de las propias palabras. A través del desdoblamiento de los tres personajes se produce una deformación hacia lo grotesco más degradante, hacia los instintos más bajos, para ridiculizar y destruir la familia, los códigos sociales de clase media, como, por ejemplo, el momento de la necesaria aparición, en el juego, de los vecinos, personajes imaginarios, Margarita y Pantaleón, en el cuerpo mismo de los tres hermanos:

> LALO.—[...] *(Con una sonrisa hipócrita a los personajes imaginarios.)* ¿Y usted, Pantaleón? Hacía tiempo que no lo veía. Estaba perdido.
> BEBA.—*(Acosando a los personajes imaginarios.)* ¿Cómo anda de la orina? A mí me dijeron los otros días...
> CUCA.—*(Acosando a los personajes imaginarios.)* ¿Funciona su vejiga?
> BEBA.—*(Asombrada.)* ¿Cómo? ¿Todavía no se ha operado el esfínter?
> CUCA.—*(Escandalizada.)* Oh, pero ¿es así? ¿Y la hernia?
> LALO.— *(Con una sonrisa hipócrita.)* Usted, Margarita, se ve de lo mejor. ¿Le ha crecido el fibroma?[52].

Los tres protagonistas ya no se enfrentan a su destino, lo juegan, y jugándolo lo deforman rebasando la mentira social, rebasando la visión pesimista de la humanidad, tal como puede aparecer en el «humorismo» pirandeliano, para alcanzar la crueldad y el absurdo. Varios recursos dramáticos manifiestan en el teatro de Triana, y particularmente en *La noche de los asesinos*, los códigos de la crueldad ya formalizados por Antonin Artaud: el humor, con el «choteo», su traducción cubana, al lado del cual emergen la poesía y la imaginación al servicio de una puesta en tela de juicio del hombre, de la condición humana frente a la realidad[53]. La palabra «sangre», que se repite en boca de los personajes y que llena el espacio textual del se-

---

[52] Cfr. *Infra*, pág. 81.

[53] Cfr. Antonin Artaud, *Le théâtre et son double*, París, Gallimard, 1964: «Ni el Humor, ni la Poesía, ni la Imaginación quieren decir nada, si por una destrucción anárquica, productora de un prodigioso vuelo de formas que constituirán todo el espectáculo, no llegan a poner en tela de juicio orgánicamente al hombre, sus ideas sobre la realidad y el sitio poético que ocupa en ella», pág. 142. (La traducción es mía.)

Puesta en escena de Mimi Pollak en el Dramatens Theater (Suecia), en 1968.

gundo acto como una obsesión, provoca en el espectador una conmoción virtual ya que éste la percibe sin verla:

> LALO.—[...] Por el momento a limpiar la sangre...
> *(Fin del primer acto.)*
> CUCA.—*(Como un policía.)* Manchas de sangre por todas partes.
> BEBA.—*(Como otro policía.)* Me luce que han matado a dos puercos, en lugar de cristianos. [...]
> BEBA.—*(Como otro policía.)* ¿Por qué tanta sangre?
> CUCA.—*(Como un policía.)* [...] Aquí están las manchas de sangre [...][54].

Lo mismo pasa con la presencia-ausencia de los cadáveres de los padres. El espectador, como en la tragedia griega, participa del drama con la imaginación y reanuda con «este sueño sanguinario e inhumano», que es el teatro según Artaud, la manifestación de lo absurdo en la conducta humana. Otro momento de crueldad es, al final del primer acto, la subversión del ritual del casamiento, con la escena de la boda de los padres, que constituye un elemento nuevo en las relaciones de la familia. Lalo comparte con su hermana Cuca el papel de la madre:

> LALO.—*(Como la madre.)* Ay, Alberto, tengo miedo [...] Ay, me duele el vientre. [...] ¿La gente llevará la cuenta de los meses que tengo? Si se enteran, me moriría de vergüenza. [...] ¡Esta maldita barriga! Quisiera arrancarme este...
> CUCA.—*(Como la madre. Con odio, casi masticando las palabras.).* Me das asco. *(Le arranca el velo a viva fuerza.)* ¡Cómo pude parir semejante engendro! Me avergüenzo de ti, de tu vida [...][55].

El juego entre Lalo y Cuca, mientras Beba «tararea la marcha nupcial», revela las condiciones del casamiento de los padres, forzados por un embarazo prenupcial y fuertemente marcados tanto por la mirada ajena como por el deseo frustra-

---

[54] Cfr. *infra*, págs. 100-107.
[55] Cfr. *infra*, pág. 98.

do de un aborto. Lalo insiste en el conflicto prenatal que le enfrenta con sus padres ya desde «la maldita barriga» de la madre. Triana necesita ir al extremo de lo grotesco para intervenir en contra de la realidad y mostrar el exceso en la crueldad. Por eso, el ruido del afilamiento del cuchillo, preparativo del asesinato en el primer acto, y el tecleo de la máquina de escribir, preparativo del interrogatorio y del juicio en el segundo, son signos redundantes del objeto escénico representado como símbolo de un poder y de un contrapoder:

> LALO.—*(Frotando los dos cuchillos.)* Ric-rac, ric-rac, ric-rac, ric-rac, ric-rac, ric-rac[56].
>
> [...]
>
> BEBA.—*(Moviendo las manos sobre la mesa, repite automáticamente.)* Tac-tac-tac-tac. Tac-tac-tac-tac...[57].

En la puesta en escena, en la construcción del lugar escénico, el objeto-utillería permite enfocar el funcionamiento del espacio escénico. Ya sea un elemento del decorado (muebles, mesa, silla, cenicero, cuchillo), ya sea un elemento del vestido (sombrero, velo), el objeto-utillería, que está representado en el escenario y que los actores manipulan, rebasa su condición de cosa existente en el mundo para adquirir la de un signo sometido a un proceso de elaboración de sentido y la de un signo de signos que se dirige a un público capaz de descodificarlo por convención. El actor-investigador Roberto Gacio Suárez, testigo del estreno de la pieza puesta por Revuelta, lo atestigua:

> Por otra parte, los tres, sin abandonar sus diálogos y como parte de las acciones que eran inherentes a los mismos, desplazaban mesas y sillas, ya no sólo dentro de sus caracterizaciones sino como constructores de los ámbitos por los que transitaban. De modo que desarrollaban una doble tarea escénica. Tarea casi no percibida, puesto que las diferentes estructuras creadas con los variados elementos teatrales se iban componiendo ante nuestros ojos pero estaban enhebradas sin obviedades [...] Generalmente las figuras recortadas en movi-

[56] Cfr. *infra*, pág. 90.
[57] Cfr. *infra*, pág. 109.

miento sobresaltan del fondo recargado de objetos, parecía que en ocasiones fijaban su imagen, se detenían en el tiempo subrayando sus actitudes básicas. Esta relación proxémica contribuía a la comprensión de cualquier público no conocedor de la lengua española[58].

En el teatro de Triana el objeto escénico desempeña un papel fundamental de manera recurrente (por ejemplo, «el bastón»). Tradicionalmente se le concede a este objeto el signo del poder social y sexual, como en el caso de Perico Piedra Fina en *Medea en el espejo* o en el de Luis en *Revolico en el campo de Marte.* A veces aparecen sustitutos del «bastón», como «la varilla» del joven en *El parque de la fraternidad* o «la botella de ron» de Pepe, Juan y Ñico, los asesinos de Hilario García en *La muerte del ñeque*; o como la «aguja enorme» que «sostiene entre los dedos», de manera grotesca, el Mayor General, cuando aparece en la parte superior de la escalera en *El mayor general hablará de teogonía.* Pero el sustituto más simbólico de este signo lo constituye el cuchillo en *Medea en el espejo* y en *La noche de los asesinos.* Si María-Medea lo utiliza verdaderamente para matar a sus hijos, Lalo, Beba y Cuca sólo juegan al asesinato ficticio de los padres.

Frente a la simbología del poder, el de los viejos y el de los jóvenes, se construye una retórica del sometimiento tanto con las palabras pronunciadas como con el manejo de ciertos objetos escénicos, la silla, por ejemplo, omnipresente desde el primer acto hasta el final del segundo. Beba, jugando al padre, obliga a Lalo a sentarse:

> BEBA.—*(Como el padre.)* Dame acá. *(Le arrebata violentamente los cuchillos.)* Siempre con porquerías. *(Probando el filo de un cuchillo.)* Corta, ¿eh? ¿Vas a matar a alguien? [...] *(Lo empuja hacia una silla.)* ¡Siéntate![59].

Cuando Beba, gritando, anuncia la llegada de la policía, Lalo «cae, derrotado, en una silla», y sigue todo un juego gro-

---

[58] Cfr. Roberto Gacio Suárez, art. cit., pág. 29.
[59] Cfr. *infra,* págs. 92-93.

tesco, armado por las hermanas/policías con el fin de registrar a Lalo, en el que lo que pide una lo contradice la otra. Mientras Cuca ordena a Lalo que se levante, Beba le pide que no se mueva:

> CUCA.—*(Como un policía en señal de triunfo.)* [...] *(A* LALO, *con violencia.)* De pie, vamos, rápido. [...]
> BEBA.—*(Como otro policía. Con vulgaridad.)* Eh, chiquito... Si no quieres que te acribille, no te muevas.
> CUCA.—*(Como un policía. Con insolencia.)* Vamos, levántese.
> BEBA.—*(Como otro policía. Con insolencia. A* CUCA.) Ha caído, mi socio. (LALO *en pie* [...])[60].

Así la silla, objeto escénico, se ha vuelto signo del signo del poder y del sometimiento a lo largo del segundo acto, mientras que en el primer acto alternaba con otra representación, la de la rebeldía de Lalo contra la opresión ejercitada por los padres, contra el orden social:

> LALO.—*(Coge el cenicero y lo coloca en la silla.)* Yo sé lo que hago. *(Apuña el florero y lo instala en el suelo.)* En esta casa el cenicero debe estar encima de una silla y el florero en el suelo.
> CUCA.—¿Y las sillas?
> LALO.—Encima de las mesas[61].
> [...]
> LALO.—[...] *(Agarra una silla y la agita en el aire.)* Esta silla, yo quiero que esté aquí. *(De golpe pone la misma silla en un sitio determinado.)* Y no aquí. *(De una vez coloca la misma silla en otro lugar.)* Porque aquí *(Velozmente vuelve a instalarla en el primer sitio.)* me es útil: puedo sentarme mejor y más rápido. Y aquí *(Sitúa la silla en la segunda posición.)* es sólo un capricho, una sonsera y no funciona... *(Acomoda la silla en la primera posición.)* Papá y mamá no lo consienten[62].

La pieza entera funciona según este procedimiento: enunciación y luego subversión del orden por su inversión, tanto en lo que concierne a los objetos escénicos como en lo que

---

60 Cfr. *infra*, pág. 106.
61 Cfr. *infra*, pág. 76.
62 Cfr. *infra*, pág. 84.

concierne a los personajes. Frente a una sociedad que oprime y marginaliza, cuya representación metafórica e irónica es la casa, o mejor dicho su sustituto, su «avatar», el último cuarto-desván, Lalo quiere en un principio cambiar las cosas, es decir, reformar la sociedad desde el interior mismo, pero no se lo dejan hacer:

> CUCA.—*(Como la madre.)* [...] Un día se le metió entre ceja y ceja que debíamos arreglar la casa a su antojo... Yo, al oír aquel disparate, me opuse terminantemente. Su padre puso el grito en el cielo [...][63].

Sin embargo, Lalo sabe que tal obsesión por el orden de los objetos en la casa sólo es un pretexto, es absurdo, y sabe que todo es juego y representación, son los padres los titiriteros, los que lo manejan todo:

> LALO.—*(Enérgico.)* [...] ¿Qué vale esta casa, qué valen estos muebles, si nosotros simplemente vamos y venimos por ella y entre ellos igual que un cenicero, un florero o un cuchillo flotante? [...] Yo quiero mi vida: estos días, estas horas, estos minutos [...] Mamá y papá son los culpables. [...] Si Beba juega, es porque no puede hacer otra cosa[64].

Más tarde, en su confesión al público/jurado, al fiscal/Cuca, Lalo, jugando al asesino procesado, insiste en la necesidad de la lucha y de la violencia para crear un nuevo orden; fija así sus propias reglas del juego:

> LALO.—*(Con la misma sonrisa.)* [...] Yo sabía que lo que los viejos me ofrecían no era, no podía ser la vida. Entonces me dije: «Si quieres vivir tienes que...» *(Se detiene, hace gesto de apuñalear, o crispar los puños triturando algo)*[65].

Lalo, en mi opinión, oscila en este final de la pieza entre lo humano y lo heroico.

---

[63] Cfr. *infra*, pág. 121.
[64] Cfr. *infra*, págs. 84-85.
[65] Cfr. *infra*, pág. 118.

Puesta en escena del Teatr Dramattyzn de Polonia, mayo de 1966.

Lo humano en la expresión del sentimiento sincero de su dolor de hijo desamado, de ser oprimido:

> CUCA.—*(Como un fiscal.)* ¿Qué quería usted? *(Pausa.)* Responda.
> LALO.—*(Sincero.)* La vida[66].

Lo heroico en la máscara de héroe revolucionario que, jugando, se apodera simbólica y metafóricamente de su conciencia y de su ser como brazo y portavoz de la humanidad oprimida:

> LALO.— [...] debía destruirlo todo, todo; porque todos eran cómplices y conspiraban contra mí y sabían mis pensamientos. [...] Oí un día una voz clara, definida, potente, que nunca antes había escuchado, sin saber de dónde salía [...]. Si esto me estaba ocurriendo, era algo grave, extraño, desconocido para mí y debía hablarlo. [...] Y junto a las carcajadas y chistes de mis hermanas, miles de voces repetían al unísono: «Mátalos», «mátalos». [...] *(Como un iluminado.)* Desde entonces conocí cuál era mi camino y fui descubriendo que [...] la casa entera, todo, me exigía ese acto heroico[67].

La verdadera identidad de los hermanos surge entonces tanto dentro como fuera de la situación, tanto detrás de la máscara como caída la máscara, porque la frontera entre el juego y el no juego es imprecisa, no hay candilejas entre los distintos espacios dramáticos. La ambigüedad se produce también con la ausencia de anclaje espacio-temporal preciso («Cualquiera de los años 50», dicen las didascalias, y sólo Beba alude a Camagüey, adonde fueron sus padres, en el primer acto, como único referente a Cuba). ¿Periodo pre-revolucionario? ¿Periodo revolucionario? Poco importa, lo esencial es el acierto de Triana en alcanzar la universalidad con el tema y sobre todo con una dramaturgia muy novedosa. De ahí el éxito cubano, primero, antes de la censura. Virgilio Piñera,

---

[66] Cfr. *infra*, pág. 116.
[67] Cfr. *infra*, págs. 119-120.

José Triana en Biarritz, 1999.

después del estreno de *La noche de los asesinos,* se siente aguijoneado hasta tal punto que escribe *Dos viejos pánicos*[68], «por una necesidad imperiosa que tenía él también de expresarse», según me comenta Triana. El éxito mundial, después, y según lo hemos ido viendo, con dos puestas en escena, hasta el día de hoy, en abril y junio del año 2000 en los Estados Unidos, en Washington, con dirección de Gabriel García, y en Nueva York, con dirección de Max Ferrá.

Con *La noche de los asesinos*, José Triana ha conseguido una obra maestra porque ha sabido, gracias a procedimientos metateatrales y a recursos que proceden de la crueldad y del absurdo entre otros, poner en evidencia detrás de la mueca, la sonrisa, detrás de la deformación grotesca, el sentimiento y la emoción humana con una estética que es «superación del dolor y de la risa», según la famosa fórmula de Valle-Inclán. Cuando caen las máscaras, las caras aparecen, son nuestros hermanos quienes hablan y gritan. Pero con las máscaras también. Si Triana deshumaniza a sus personajes exagerando las actitudes, los gestos, teatralizando, ellos se re-humanizan por sus propios gestos, gritos, por sus propias gesticulaciones, por su conciencia de defender su historia, por su propia voluntad de vida, de lucha por la vida. A lo largo de su obra teatral y poética, y en *La noche de los asesinos* particularmente, José Triana se dirige con gran sinceridad y simplicidad al hombre para que éste se cuestione su vida, para que ahonde en eso que es su destino individual y colectivo, para que busque nuevas soluciones, nuevos proyectos, nuevos rumbos. En este sentido quiero dejarle la última palabra, la palabra llena de humanidad a José Triana:

> El hombre cambia de una manera vertiginosa frente a un mundo lleno de incertidumbre y miedo, de abyectos caciques obsoletos, de fraudes ideológicos y de desesperanzas, de innobles desigualdades económicas y violaciones de los derechos de los hombres y de los pueblos a conquistar o preservar su libertad y de prodigiosos adelantos científicos —inclinados

[68] Virgilio Piñera, *Dos viejos pánicos*, La Habana, Casa de las Américas, 1968 (Premio Casa de las Américas, 1968). Los héroes envejecieron, ya no son niños adultos sino viejos, ya no son tres sino dos y sobre todo ya no pueden rebelarse, piden perdón, se arrepienten.

por el momento a la destrucción—... ¿por qué no a la construcción de un mundo mejor? Queda siempre como suspendida en el aire, como una interrogación, el indiscutible gozo de crear una sociedad democrática, más justa, más digna. Somos todos, Norte, Sur, Este y Oeste, hombres, mujeres y niños. Mestizos somos por todo el planeta. Benditos seamos. Interroguémonos pues[69].

[69] José Triana, «Obsesiones personales», en *Cruzando el puente*, Valencia, Trapezi, 1992, pág. 129.

Esta edición

En la perspectiva de este proyecto editorial, José Triana quiso revisar su obra publicada en Casa de las Américas en 1965. Y así lo hizo. El presente texto de *La noche de los asesinos* que se ofrece hoy al lector es un texto renovado, reescrito sin perjudicar ni la acción dramática, ni la fábula, ni el tono que motivaron el éxito mundial de la obra desde 1965-1966. Muy al contrario. La propuesta del autor parte de una lectura diacrónica (fuera de la premura y de la tensión del momento creador) con distancia histórica.

Así, se ha impuesto, por una parte, la necesidad de una limpieza estilística: borrar repeticiones de palabras, muletillas, etc.

—Supresión de demostrativos, indefinidos y posesivos cuando son redundantes[70]:

> «CUCA.—[...] ¿Que yo...?» (pág. 76), en vez de «CUCA.—[...] ¿Así que yo?» (pág. 68);
> «CUCA.—Además, es terrible...» (pág. 77), en vez de «Además todo eso es terrible» (pág. 69);
> «LALO.—[...] En el mundo, métetelo en esa cabeza de chorlito» (pág. 77), en vez de «En el mundo, esto métetelo en esa cabeza de chorlito» (pág. 69);

[70] La primera remisión a página corresponde a esta edición; la segunda remite a la primera versión tal como aparece en la editorial Verbum, Madrid, 1991.

«LALO.—¿Entonces qué es para ti importante?» (pág. 76), en vez de «¿Entonces qué cosa es para ti importante?» (pág. 68);
«CUCA.—[...] Uno es decir y otro vivir» (pág. 77), en vez de «una cosa es decir y otra vivir» (pág. 69).

—Supresión de repeticiones inútiles en las didascalias para dar más posibilidad a la actuación:

«LALO.—[...] *(En otro tono.)*» (pág. 78), en vez de «*(En otro tono. Violento.)*» (pág. 70);
«LALO.—[...] *(Entre carcajadas)...*» (pág. 78), en vez de «*(Entre carcajadas violentas)*» (pág. 70);
«CUCA.—*([...] Con una sonrisa malvada a* LALO.)» (pág. 81), en vez de «*([...] con una sonrisa malvada a* LALO. *Entre dientes.)*» (pág. 72);

o en las réplicas para dar más rapidez a la acción:

«BEBA.—*(A* CUCA.) Ven, chiquilina... [...] A ver...» (pág. 79), en vez de «Ven, vamos... [...] A ver, a ver» (pág. 71);
«BEBA.—[...] Ay Pantaleón, qué sinvergüencita. Un villanazo. Sí, no se haga el chivo loco.» (pág. 81), en vez de «Ay Pantaleón, qué sinvergüencita es usted. Es un villanazo. Sí, sí. No se haga...» (pág. 73);

«BEBA: [...] Ven acá, muñeca [...] ¿Soy acaso una vieja muy fea?... No te pongas majadera...» (pág. 82), en vez de «Ven acá, muñeca... Ven acá ¿soy acaso...? Ven acá, no te pongas majadera...» (pág. 73);
«LALO.—*(Frenético.)* Diles que se vayan, Cuca. Que se vayan al carajo» (págs. 82-83), en vez de «diles que se vayan, Cuca. Diles que se vayan al carajo» (pág. 74).

—Supresión de la locución conjuntiva «como si» en las didascalias:

«CUCA.—*(Fingiendo que presta [...])*» (pág. 81), en vez de «*(Como si prestara)*» (pág. 72);
«LALO.—*(Empuñando un látigo ilusorio, amenazándolos...)*» (pág. 83), en vez de «*(Como si los amenazara...)*» (pág. 74);

Por otra parte, ha considerado conveniente la reescritura de ciertos parlamentos a lo largo de la pieza, dándoles un acento más popular, más familiar, un anclaje en la cubanía, así como un giro aún más paródico, propio de las novelas policiacas de los años cincuenta, cuando Cuca y Beba hacen que actúan de policías. Por ejemplo:

—Sustitución de palabras por otras con tono más familiar o por cubanismos:

> «BEBA.—[...] Qué socotroco» (pág. 82), en vez de «[...] Parece mentira» (pág. 73);
>
> «CUCA.—¡Cuentos de caminos!» (pág. 85), en vez de «[...] Eso no es cierto» (pág. 75);
>
> «BEBA.—[...] y esos gritos de los mil demonios por cualquier guanajería» (pág. 89), en vez de «[...] por cualquier bobería» (pág. 80);
>
> «BEBA.—[...] Qué manera de haber sangre. Era de anjá. Mira, me erizo de pies a cabeza... Un descalabro, mi amiga, porque si una pudiera... Cavilo y cavilo, y me rompo la crisma...» (pág. 91), en vez de «... qué manera de haber sangre. Era espantoso. Mira cómo se me ponen los pelos. Me erizo de pies a cabeza... Yo no sé, mi amiga, porque si una pudiera...» (pág. 82);
>
> «BEBA.—[...] La sin hueso que no para un minuto...» (pág. 91), en vez de «Esa lengua que no para un minuto.» (pág. 82);
>
> «BEBA.—[...] Ahoritica, meterse con nosotros...» (pág. 92), en vez de «Pero meterse con nosotros.» (pág. 82);
>
> «BEBA.—*(Como el padre.)* [...] Treinta años detrás de un buró, en el Ministerio, comiéndome los hígados y pasando un millón de necesidades, y los jefes a la bartola y sacándome el quilo.» (págs. 92-93), en vez de «Treinta años detrás de un buró, en el Ministerio, comiéndome los hígados con los jefes, pasando mil necesidades.» (pág. 84);
>
> «LALO.—*(Al personaje imaginario)* [...] Son peores que los hijos de Mamá Coleta...» (pág. 95), en vez de «Son peores que el diablo...» (pág. 86);
>
> «CUCA.—[...] ¡No te has mirado bien el pregenio!» (pág. 98), en vez de «¡No te das cuenta de lo que eres!» (pág. 88);
>
> «BEBA.—[...] Al principio hacía asquitos y ahora matarías...» (pág. 102), en vez de «al principio no querías, ahora eres capaz de matar.» (pág. 92);
>
> «CUCA.—[...] El chiquito se las traquetea» (pág. 109), en vez de «el chiquito se las trae» (pág. 98);
>
> «LALO.—[...] Pero que armen este reperpero...» (pág. 111), en vez de «Pero que hagan lo que hacen...» (pág. 100);

«CUCA.—*(Como un policía.)* «[...] Escupe» (pág. 106), en vez de «¿verdad?» (pág. 96);

«BEBA.—*(Como otro policía)* [...] Vamos, desembucha...» (pág. 106), en vez de «Vamos, escupe...» (pág. 96);

«CUCA.—*(Como un policía.)* Mayor cinismo, coño...» (página 107), en vez de «No me irás a decir mayor cinismo» (página 96);

«BEBA.—*(Como otro policía)* [...] Descose la boca, por la cuenta que te trae.» (pág. 108), en vez de «habla, que te conviene.» (pág. 97);

«LALO.—*(Como el padre, violento.)* Estos vejigos.» (pág. 126), en vez de «Estos muchachos» (pág. 114).

Esta selección de ejemplos muestra que la segunda versión de *La noche de los asesinos* que publicamos hoy sale actualizada y reforzada en intensidad dramática según la propia voluntad del autor, sin alterar de ningún modo el sentido universal de la obra.

Las notas explicativas se refieren a aspectos léxicos, giros o modismos cubanos, así como registran las variantes más significativas respecto a la primera versión publicada en Casa de las Américas (La Habana) en 1965 y retomada en la editorial Verbum (Madrid) en 1991[71].

[71] En el texto de esta edición las expresiones cubanas vienen abreviadas por cub.

Bibliografía

I. Obra dramática de José Triana

Teatro: 5 autores cubanos (selección y prólogo de Rine Leal), Nueva York, Ollantay Press, vol. I, 1995, 277 págs. (María Irene Fornés, *Fefú y sus amigas;* Eduardo Manet, *Las Monjas;* Pedro R. Monge Rafuls, *Nadie se va del todo;* Héctor Santiago, *Balada de un verano en la Habana;* José Triana, *La fiesta.)*

Teatro cubano contemporáneo (antología), Madrid, Fondo de Cultura Económica, 1992, 1508 págs. (Virgilio Piñera, *Electra Garrigó;* Carlos Felipe, *Réquiem por Yarini;* Rolando Ferrer, *Lila, la mariposa;* Abelardo Estorino, *La Dolorosa historia del amor secreto de don José Jacinto Milanés;* José R. Brene, *Santa Camila de la Habana Vieja;* Manuel Reguera Saumell, *Recuerdos de Tulipa;* Matías Montes Huidobro, *Su cara mitad;* José Triana, *La noche de los asesinos;* Manuel Martin Jr., *Sanguivin en Unión City;* Antón Arrufat, *Los siete contra Tebas;* Eugenio Hernández Espinosa, *María Antonia;* Héctor Quintero, *El premio flaco;* Abrahan Rodríguez, *Andoba;* René R. Alomá, *Alguna cosita que alivie el sufrir;* Abilio Estévez, *La verdadera culpa de Juan Clemente Zenea;* Joel Cano, *Timeball.)*

Teatro cubano en un acto (selección y prólogo de Rine Leal), La Habana, Ediciones R, 1963, 354 págs. (Antón Arrufat, *El caso se investiga;* Norah Badía, *Mañana es una palabra;* Raúl de Cárdenas, *La palangana;* Nicolás Dorr, *Las Pericas;* Abelardo Estorino, *El peine y el espejo;* Rolando Ferrer, *Los próceres;* Ignacio Gutiérrez, *Los mendigos;* Matías Montes Huidobro, *Gas en los poros;* Virgilio Piñera, *Falsa alarma;* Manuel Reguera Saumel, *El general Antonio estuvo aquí;* José Triana, *El mayor general hablará de teogonía.)*

El parque de la fraternidad, La Habana, Unión, 1962, 109 págs., col. Teatro *(Medea en el espejo; El mayor general hablará de teogonía; El parque de la fraternidad).*
La muerte del ñeque, La Habana, Ediciones R, 1964, 129 págs.
La noche de los asesinos, La Habana, Casa de las Américas, 1965, 111 págs.
Ceremonial de guerra, Honolulú, Editorial Persona, 1990, 64 págs., col. Teatro.
«*La noche de los asesinos*», en *Primer Acto,* núm. 18, Madrid, mayo de 1969, págs. 33-61.
«*La noche de los asesinos*», en Georges Woodyard, *The Modern stage in Latin America (Anthology),* Nueva York, 1971 págs. 237-289.
La noche de los asesinos, Ottawa, Girol Books, 1979, col. Telón.
Teatro, Madrid, Verbum, 1991, 257 págs., col. Teatro *(Medea en el espejo; La noche de los asesinos*; *Palabras comunes).*
Cruzando el Puente, Valencia, Trapezi, 1992, 130 págs.
«*Revolico en el campo de Marte*», en *Gestos,* vol. 10, núm. 19, Irvine, University of California, Department of Spanish and Portuguese, School of Humanities, abril de 1995, págs. 139-205.
«*Ahí están los tarahumaras*», en *Encuentro de la cultura Cubana,* núm. 4-5, Madrid, primavera-verano de 1997, págs. 21-30.

Traducciones de «La noche de los asesinos»

«*La nuit des assassins (Acte I)*», en *Les lettres nouvelles,* París, diciembre de 1967 (núm. Ecrivains de Cuba), págs. 292-322 (trad. Carlos Semprún).
«*La nuit des assassins (Acte II)*», en *Les Cahiers de la Compagnie Renaud-Barrault*, núm. 65, París, febrero de 1968, págs. 81-120 (trad. Carlos Semprún).
La notte degli assassini, Roma, Carte Segrete, 1968, 80 págs. (trad. Elena Clementelli, postfacio de Giacomo Totti).
«*La nuit des assassins*», en Obregón, Osvaldo, *Anthologie du théâtre Latino-américain contemporain,* Arles, Actes Sud, 1998, págs. 263-317.

II. Crítica sobre la obra dramática de José Triana

Albino, Ramón, *The criminals*, by José Triana: a production book, thesis presented to the faculty of the department of theatre,

Brooklyn College, in partial fulfillment of the requirements for the M.F.A. degree, Nueva York, mayo de 1984, 103 págs.

ÁLVAREZ BORLAND, Isabel y GEORGE, David, «*La noche de los asesinos:* text, staging and audience», *Latin American Theatre Review*, núm. 20\1, Lawrence, University of Kansas, Center of Latin American Studies, enero de 1986, págs. 37-48.

ARROM, José Juan, *Historia de la literatura dramática cubana*, New Haven, Yale University Press, 1944, 132 págs.

BARRANCO, Jesús, «Artaud y *La noche de los asesinos*», *Encuentro de cultura cubana*, Madrid, núm. 4-5, primavera-verano de 1997, págs. 46-53.

DAUSTER, Franck, «Cuban drama today», *Modern drama*, vol. 9, núm. 2, septiembre de 1966, págs. 153-164.

— «The game of chance: the theater of José Triana», *Latin American Theatre Review*, 3\1, Lawrence, University of Kansas, Center of Latin American Studies, otoño de 1969, págs. 3-8.

— «Visión de la realidad en el teatro cubano», *Revista Iberoamericana*, núm. 152-153, Pittsburgh, julio-diciembre de 1990, páginas 852-870.

DE LA CAMPA, Román V., *José Triana: ritualización de la sociedad cubana*, University of Minessota, Institute for the Study of Ideologies and Literature, 1979, 124 págs.

ESCARPANTER, José A., «El exilio en Matías Montes Huidobro y José Triana», *Linden Lane Magazine*, vol. 9, núm. 4, New Jersey, octubre-diciembre de 1990, págs. 63-64.

— «Tres dramaturgos del inicio revolucionario: Abelardo Estorino, Antón Arrufat y José Triana», *Revista Iberoamericana*, núm. 152-153, Pittsburgh, julio-diciembre de 1990, págs. 881-896.

ESTORINO, Abelardo, «Destruir los fantasmas, los mitos de las relaciones familiares (entrevista con José Triana y Vicente Revuelta a propósito de *La noche de los asesinos)*», *Conjunto*, núm. 4, La Habana, agosto-septiembre de 1967, págs. 6-14.

— «Triana salva a los asesinos», *Unión*, vol. IV, núm. 3, La Habana, UNEAC, julio-septiembre de 1965, págs. 178-180.

FERNÁNDEZ FERNÁNDEZ, Ramiro, «José Triana habla de su teatro», *Románica*, vol. 15, núm. 39, 1979, págs. 33-45.

HASSON, Liliane, «Un cubano en París: José Triana», *Symposium Outside Cuba-Fuera de Cuba*, New Jersey, Rutgers University, octubre de 1988, 12 págs.

GACIO SUÁREZ, Roberto, «*La noche de los asesinos*, puesta en escena de Vicente Revuelta», *Escena latinoamericana*, núm. 1, México, CITRU, febrero de 1993, págs. 26-30.

LARCO, Juan, «*La noche de los asesinos* de José Triana», *Casa de las Américas*, vol. V, núm. 32, La Habana, septiembre-octubre de 1965, págs. 57-100.

LEAL, Rine, *Breve historia del teatro cubano*, La Habana, Letras Cubanas, 1980, 188 págs., col. Panorama.

— *En primera (1954-1966)*, La Habana, Instituto del Libro, 1967, 372 págs., col. Teatro y Danza.

MELÉNDEZ, Priscilla, «El espacio dramático como signo: La noche de los asesinos», *Latin American Theatre Review*, 17/1, Lawrence, University of Kansas, Center of Latin American Studies, otoño de 1983, págs. 25-35.

— «Poeticemos el humor y riámonos de la política: *Revolico en el campo de Marte* de José Triana», en *Gestos*, vol. 10, núm. 19, Irvine, University of California, Department of Spanish and Portuguese, School of Humanities, abril de 1995, págs. 133-137.

MIRAND, Julio E., «José Triana o el conflicto», *Cuadernos Hispanoamericanos*, núm. 230, Madrid, 1969, págs. 439-444.

MURCH, Ann C., «Genêt-Triana-Kopit: ritual as 'danse macabre'», *Modern drama*, vol. XV, núm. 4, marzo de 1973, págs. 369-381.

NEGLIA, Erminio G., «El asedio a la casa: un estudio del decorado en *La noche de los asesinos*», *Revista Iberoamericana*, vol. 46, núm. 110-111, Pittsburgh, enero-junio de 1980, págs. 139-149.

— «Algunas notas sobre el espacio en *La noche de los asesinos*», *El Texto latinoamericano*, Madrid, Fundamentos, 1994, vol. I, páginas 245-252.

NIGRO, Kirsten F. (comp.), *Palabras más que comunes (ensayos sobre el teatro de José Triana)*, Boulder, Society of Spanish and Spanish-American Studies, Department of Spanish and Portuguese, University of Colorado, 1994, 112 págs. (Incluye los artículos siguientes: José A. Escarpanter, «Imagen de una imagen: entrevista con José Triana»; Robert Lima, «Elementos de la tragedia griega en las obras tempranas de José Triana»; Pedro Manuel Barreda, «*Medea en el espejo:* coralidad y poesía»; José A. Escarpanter, «Elementos de la cultura afrocubana en el teatro de José Triana»; Matías Montes Huidobro, «La ética histórica como acondicionadora de la acción en el teatro de

José Triana»; Diana Taylor, «*La noche de los asesinos:* la política de la ambigüedad»; Kirsten F. Nigro, «Orden, limpieza y *Palabras comunes:* otra vez los juegos prohibidos»; Priscilla Meléndez, «*Revolico en el campo de Marte:* Triana y la farsa esperpéntica».)

— «*La noche de los asesinos:* playscript and stage enactment», *Latin American Theatre Review,* 11/1, Lawrence, University of Kansas, Center of Latin American Studies, otoño de 1977, págs. 45-57.

ORTEGA, Julio E., «*La noche de los asesinos*», *Cuadernos americanos,* núm. 164-3, México, mayo-junio de 1969, págs. 262-267.

PALLS, Terry L., «El teatro del absurdo en Cuba: el compromiso artístico frente al compromiso político», *Latin American Theatre Review,* 11/2, Lawrence, University of Kansas, Center of Latin American Studies, impreso en 1978, págs. 25-32.

PIÑERA, Virgilio, «*La noche de los asesinos*», *La Gaceta de Cuba,* vol. IV, núm. 47, La Habana, octubre-noviembre de 1965, pág. 25.

REVUELTA, Vicente, «Martí, Artaud, Brecht: hacia el teatro como participación y síntesis de significantes poéticos universales», *Tablas,* 2-90, La Habana, abril-junio de 1990, págs. 2-5.

TAYLOR, Diana (dir.), *En busca de una imagen: ensayos críticos sobre Griselda Gambaro y José Triana,* Ottawa, Girol Books Inc., col. Telón-Crítica 1, 1989, 195 págs. (Sobre José Triana, incluye artículos de José Monleón: «Madrid-La Habana-París: tres imágenes de José Triana»; Diana Taylor, «Entrevista con José Triana»; José Triana; «Alusiones al delirio»; Frank Dauster, «Triana, Felipe, Brene: tres visiones de una realidad»; Elsa Martínez Gilmore, «El mito y su subversión en *La noche de los asesinos*»; Priscilla Meléndez, «A puerta cerrada: Triana y el teatro fuera del teatro»; Diana Taylor, «Violencia y (re)creación: *La noche de los asesinos*»; George Woodyard, «*Palabras comunes* de Triana: ciclos de cambio y repetición».)

— «Framing the Revolution: Triana's *La noche de los asesinos* and *Ceremonial de Guerra*», *Latin American Theatre Review,* 24/1, Lawrence, University of Kansas, Center of Latin American Studies, otoño de 1990, págs. 81-92.

VASSEROT, Christilla, «José Triana entrevisto», *Encuentro de cultura cubana,* núm. 4-5, Madrid, primavera-verano de 1997, páginas 33-45.

— «Espejos y espejismos en el teatro de José Triana», en Sara Bonnar-

del (ed.), *Théâtre et Territoires: Espagne et Amérique Latine, 1950-1996,* Burdeos, PUB, 1998, núm. 75, págs. 373-382.
— «Avatares de la tragedia en el teatro cubano contemporáneo 1941-1968», en D. Meyran, A. Ortiz y F. Sureda (eds.), *Théâtre, Publique, Société,* Perpiñán, PUP, 1998, págs. 342-351.
— «Entrevista con José Triana», *Latin American Theatre Review,* núm. 29/1, Lawrence, otoño de 1995, págs. 110-125.

III. Breve bibliografía sobre teatro latinoamericano

Azor, Ileana, *Origen y presencia del teatro en nuestra América,* La Habana, Letras cubanas, 1988, 304 págs.
— *Variaciones sobre teatro latinoamericano,* La Habana, Editorial Pueblo y Educación, 1987, 117 págs.
Boudet, Rosa Ileana, «Veinticinco aniversario del teatro en la revolución», *Conjunto,* núm. 60, La Habana, abril-junio de 1984.
Dauster, Franck, *Ensayos sobre teatro hispanoamericano,* México, Secretaría de Educación Pública, 1975, 196 págs., col. sep/Setentas 208.
— *Historia del teatro hispanoamericano, siglos* xix *y* xx, México, Ediciones de Andrea, 1966, 121 págs., col. Historia literaria hispanoamericana 4.
Gálvez Acero, Marina, *El teatro hispanoamericano,* Madrid, Taurus, 1988, 173 págs., col. Historia de la crítica de la literatura hispánica 34.
Instituto Internacional de Teoría y Crítica del Teatro Latinoamericano, *Reflexiones sobre teatro latinoamericano en el siglo veinte,* Buenos Aires, Editorial Galerna, 1989, 242 págs.
Le Théâtre latino-américain: tradition et innovation, Actas del Coloquio Internacional, del 7 al de 9 de diciembre de 1989, organizado por el Centre de Recherches Latino-Américaines et Luso-Afro-Brésiliennes de l'Université de Provence, Aix-en-Provence, 1991, 222 págs.
Le Théâtre sous la contrainte, 4 y 5 de octubre de 1985, organizado por el Centre de recherches Latino-Américaines et Luso-Afro-Brésiliennes de l'Université de Provence, Aix-en-Provence, 1989, 268 págs.
Leal, Rine, «Retablo histórico del teatro en nuestra América. Relaciones entre los teatros de Cuba y Puerto Rico, en el siglo xx»,

Conjunto, núm. 26, La Habana, Casa de las Américas, octubre-diciembre de 1975, págs. 59-61.

LUZURIAGA, Gerardo, *Introducción a las teorías latinoamericanas del teatro*, Universidad Autónoma de Puebla, Maestría en Ciencias del Lenguaje, 1990, 212 págs.

MELÉNDEZ, Priscilla, *La dramaturgia hispanoamericana contemporánea: teatralidad y autoconciencia*, Madrid, Editorial Pliegos, s./d., 189 págs.

MEYRAN, Daniel, *El discurso teatral de Rodolfo Usigli: del signo al discurso*, México, INBA/CITRU, 1993, 284 págs. (Traducción de Manuel Menéndez.)

— *Théâtre et Histoire, la conquête du Mexique et ses représentations dans le théâtre mexicain contemporain*, *Marges*, núm. 19, Perpiñán, 1999, 314 págs.

— «La Diaspora latino-americaine comme phénomène de prise de conscience de l'existence d'une nation latino-américaine», *Les Réseaux des Diasporas*, Chipre/París, Kykem/L'Harmattan, 1996, págs. 249-260.

— «El Espacio como ojo social: organización cultural y/o representación de lo imaginario sociohistórico», en J. Covo (ed.), *Espacio, Historia e Imaginario*, Lille, edit. Du Septentrion, 1996, págs. 213-220.

— «Teatro: Patrimonio, Interculturalidad y metaculturalidad», en *Gestos*, núm. 24, Irvine, University of California, noviembre de 1997, págs. 45-56.

— «Teatro y Estado. Lenguaje y censura en el teatro mexicano contemporáneo: un caso de bloqueo semiótico», *Théâtre et Territoires: Espagne et Amérique Latine, 1950-1996*, Burdeos, PUB, 1998, núm. 75, págs. 305-317.

— «Poder y representación: las puestas en escena del imaginario social», *Los Poderes de la Imagen*, Lille, PUL, 1998, págs. 205-212.

— «Historia y Teatro, Teatralidad e Historicidad», *Marges*, núm. 19, Perpiñán, CRILAUP/PUP, 1999, págs. 9-19.

MEYRAN, Daniel, ORTIZ, Alexandro y SUREDA, Francis, *Teatro, público y sociedad/Théâtre, publique, société*, Actes du IIIe Colloque International sur le Théâtre Hispanique, Hispano-Américain et Mexicain en France, organizado por el CRILAUP, 10, 11, y 12 de octubre de 1996, Presses Universitaires de Perpignan, 1998, 560 págs., coll. Etudes.

OBREGÓN, Osvaldo, *Le théâtre Latino-américain en France (1958-1987)*, J. P. Sánchez (ed.), Rennes, Cahiers du LIRA, núm. 4, 2000, 199 págs.
— *Teatro Latinoamericano, un caleidoscopio cultural (1930-1990)*, edición y prefacio de Daniel Meyran, *Marges*, núm. 20, Perpiñán, CRILAUP, PUP, 2000, 376 págs.

NEGLIA, Erminio, *El hecho teatral en Hispanoamérica*, Roma, Bulzoni Editore, 1985, 216 págs.

PERALES, Rosalina, *Teatro hispanoamericano contemporáneo (1967-1987)*, vol. I, México, Grupo Editorial Gaceta, 1989, 320 págs., col. Escenología.
— *Teatro hispanoamericano contemporáneo (1967-1987)*, vol. II, México, Grupo Editorial Gaceta, 1993, 260 págs., col. Escenología.

PÉREZ COTERILLO, Moisés (ed.), *Escenarios de dos mundos. Inventario teatral de Iberoamérica*, Madrid, Centro de Documentación Teatral, 1989.

PIANCA, Marina, *El teatro de nuestra América: un proyecto continental, 1959-1989*, Minneapolis, Institute of Ideologies and Literature, The University of Minnesota, 1990.

RIZK, Beatriz, J., *El nuevo teatro latinoamericano: una lectura histórica*, Minneapolis, The Prisma Intitute, Institute for the the Study of Ideologies and Literature, series Toward a Social History of Hispanic and Luso-Brasilian Literatures, 1987, 143 págs.

TORO, Fernando de y ROSTER, Peter, *Bibliografía del teatro hispanoamericano contemporáneo (1900-1980)*, Francfort, Verlag Klaus Dieter Vervuert, Editionen der Iberoamericana Reiche 2, Bibliographische 3, 1985, 2 vols., 475 págs. y 277 págs.

VILLEGAS, Juan, «El discurso dramático-teatral latinoamericano y el discurso crítico: algunas reflexiones estratégicas», *Latin American Theatre Review*, núm. 18/1, Lawrence, University of Kansas, Center of Latin American Studies, otoño de 1985, págs. 5-12.
— *Para un modelo de Historia de teatro*, Irvine, Gestos, 1997, 207 págs., col. Teoría 1.

WOODYARD, Georges, «The theatre of the absurd in spanish America», *Comparative Drama*, vol. III, núm. 3, 1969, págs. 186-192.

ZALACAÍN, Daniel, «El asesinato simbólico en cuatro piezas dramáticas latinoamericanas», *Latin American Theatre Review*, 19/1, Lawrence, University of Kansas, Center of Latin American Studies, otoño de 1985, págs. 19-26.

— *Teatro absurdista hispanoamericano,* Valencia, Albatros Hispanófila, 1985, 198 págs.

IV. Últimas puestas en escena de «La noche de los asesinos»

La noche de los asesinos, de José Triana; director, Gabriel García, del 27/4 al 28/5/2000, en Gala Teatro hispanoamericano, Washington, DC.

La noche de los asesinos, de José Triana; director, Max Ferrá, 6/6/2000, en INTAR Hispanic American Arts, Nueva York.

La noche de los asesinos

A María Angélica Álvarez
A José Rodríguez Feo

Ay de tanto! Ay de tan poco! Ay de ellos!

CÉSAR VALLEJO

[...] cada uno es para sí un monstruo de sueños.

ANDRÉ MALRAUX

[...] este mundo humano entra en nosotros, participa en la danza de los dioses, sin retroceder, ni mirar atrás, so pena de convertirse como nosotros mismos: en estatuas de sal...

ANTONIN ARTAUD

[...] Can we only love
Something created by our own imagination?
Are we all in fact unloving and unlovable?
Then one is alone, and if one is alone
Then lover and beloved are equally unreal
And the dreamer is no more real than his dreams.

T. S. ELIOT

ESCENARIO

Un sótano o el último cuarto-desván. Una mesa, tres sillas, alfombras raídas, cortinas sucias con grandes parches de telas floreadas, floreros, una campanilla, un cuchillo y algunos objetos ya en desuso, arrinconados, junto a la escoba y el plumero.

ÉPOCA

Cualquiera de los años 50.

PERSONAJES

LALO
CUCA
BEBA

Los personajes, al realizar las incorporaciones de otros personajes, deben hacerlo con la mayor sencillez y espontaneidad posibles. Que no se empleen elementos caracterizadores. Ellos son capaces de representar el mundo sin necesidad de ningún artificio. Téngase esto en cuenta para la elaboración del montaje y dirección escénicas. Estos personajes son adultos y sin embargo conservan cierta gracia adolescente, aunque un tanto marchita. Son, en último término, figuras de un museo en ruinas.

Acto primero

LALO.—Cierra esa puerta. *(Golpéandose el pecho. Exaltado, con los ojos muy abiertos.)* Un asesino. Un asesino. *(Cae de rodillas.)*
CUCA.—*(A* BEBA.) ¿Y eso?
BEBA.—*(Indiferente. Observando a* LALO.) La representación ha empezado.
CUCA.—¿Otra vez?
BEBA.—*(Molesta.)* Mira que tú eres... ¡Ni que esto fuera algo nuevo!
CUCA.—No te agites, por favor.
BEBA.—Tú estás en Babia.
CUCA.—Papá y mamá no se han ido todavía.
BEBA.—¿Y eso qué importa?
LALO.—Yo los maté *(Se ríe. Luego extiende los brazos hacia el público en ademán solemne.)* ¿No estás viendo ahí los ataúdes? Los cirios, las flores... Hemos llenado la sala de gladiolos. Las flores que más le gustaban a mamá. *(Pausa.)* No se pueden quejar. Después de muertos los hemos complacido. Yo mismo he vestido esos cuerpos rígidos, viscosos..., y he cavado con estas manos un hueco bien profundo. Tierra, venga tierra. *(Rápido. Se levanta.)* Todavía no han descubierto el crimen. *(Sonríe a* CUCA. *Le acaricia la barbilla.)* Comprendo: te asustas. *(Se aparta.)* Contigo es imposible.
CUCA.—*(Sacudiendo los muebles con el plumero.)* No estoy para esas boberías.
LALO.—¿Cómo? ¿Consideras un crimen una bobería? ¡Qué sangre fría la tuya, hermanita! ¿Es cierto que piensas así?

CUCA.—*(Convencida.)* Sí.
LALO.—¿Entonces qué es para ti importante?
CUCA.—Ayúdame, chico. Hay que arreglar esta casa. Este cuarto es un asco. Cucarachas, ratones, polillas, ciempiés..., el copón divino[1]. *(Quita un cenicero de la silla y lo sitúa sobre la mesa.)*
LALO.—¿Y tú crees que sacudiendo con un plumero vas a lograr mucho?
CUCA.—Algo es algo.
LALO.—*(Autoritario.)* Vuelve a poner el cenicero en su sitio.
CUCA.—El cenicero debe estar en la mesa y no en la silla.
LALO.—Haz lo que te digo.
CUCA.—No empieces, Lalo.
LALO.—*(Coge el cenicero y lo coloca en la silla.)* Yo sé lo que hago. *(Apuña el florero y lo instala en el suelo.)* En esta casa el cenicero debe estar encima de una silla y el florero en el suelo.
CUCA.—¿Y las sillas?
LALO.—Encima de las mesas.
CUCA.—¿Y nosotros?
LALO.—Flotamos con los pies hacia arriba y la cabeza hacia abajo.
CUCA.—*(Molesta.)* Eso me luce fantástico. ¿Por qué no lo hacemos? Estás inventando una maravilla[2]. Quien te oiga, ¡qué pensará! *(En otro tono.)* Lalo, si sigues fastidiando, tendremos problemas... Vete. Déjame tranquila. Yo haré lo que pueda hacer y se acabó.
LALO.—*(Con intención.)* ¿No quieres que te ayude?
CUCA.—No le busques más los cinco pies al gato.
LALO.—No te inmiscuyas en mis cosas. El cenicero, ahí. El florero, aquí. Despreocúpate.... Eres tú quien trata de imponerse; no yo.
CUCA.—¡Ah; sí! ¡Qué lindo! ¿Ahorita soy yo la que me impongo? ¡Vaya, hombre! ¡Esto no tiene precio! ¿Que yo...? ¡Lalo, no sigas! El orden es el orden.
LALO.—No hay peor sordo que el que no quiere oír.

---

[1] «el copón divino»; cub.: «el horror máximo.»
[2] En la primera versión (1965) se lee «está inventando algo maravilloso.»

CUCA.—¿Qué dices?
LALO.—Lo que oíste.
CUCA.—Pues, chico, no entiendo. Ésa es la pura verdad. No sé lo que te traes entre manos. Todo eso me parece sin pies ni cabeza. En fin, que me hago un lío tremendo y entonces soy incapaz de hacer ni decir... Además, es terrible, si es como me lo figuro. A nada bueno nos puede conducir.
LALO.—¿Otra vez el miedo? En el mundo, mételo en esa cabeza de chorlito que tienes, para vivir tendrás que hacer muchas cosas y entre ellas olvidar que existe el miedo.
CUCA.—¡Como si eso fuera tan fácil! Uno es decir y otro vivir.
LALO.—Pues intenta que lo que digas esté de acuerdo con lo que vivas.
CUCA.—No me atosigues. Déjate de sermones, que eso no te sienta bien. *(Sacudiendo una silla.)* Mira cómo está esta silla, Lalo. ¡Quién sabe cuánto tiempo hace que no se limpia! Hasta telarañas, qué horror.
LALO.—Qué barbaridad. *(Arrimándose a ella cautelosamente, sarcástico.)* Los otros días me dije: «Debemos limpiar»; pero, después nos entretuvimos en no sé qué y..., fíjate, fíjate ahí... *(Pausa. Otro tono.)* ¿Por qué no pruebas?
CUCA.—*(Casi de rodillas junto a la silla, limpiándola.)* No me impliques en eso.
LALO.—Arriésgate.
CUCA.—No insistas.
LALO.—Un ratico.
CUCA.—Yo no sirvo.

(BEBA, *que estaba en el fondo, limpiando con un trapo algunos muebles viejos y cacharros de cocina, avanza hacia el primer plano con una sonrisa hermética. Sus gestos recuerdan por momentos a* LALO.)

BEBA.—Veo esos cadáveres y pienso que sueño. Un espectáculo digno de verse. Se me ponen los pelos de punta. No quiero pensar. Jamás me he sentido tan dichosa. Míralos. Vuelan, se disgregan.
LALO.—*(Como un gran señor.)* ¿Han llegado los invitados?
BEBA.—Subían las escaleras.

LALO.—¿Quiénes?
BEBA.—Margarita y el viejo Pantaleón.

(CUCA *no abandona su labor; aunque, a veces, se queda abstraída contemplándolos.)*

LALO.—*(Con desprecio.)* No me gusta esa gente. *(En otro tono.)* ¿Quién les avisó?
BEBA.—¡Qué sé yo!... ¡No me mires así! Te juro que no he sido yo.
LALO.—Entonces, fue ella. *(Señala a* CUCA.) Ella.
CUCA.—*(Limpiando todavía el mueble.)* ¿Yo?
LALO.—Tú, sí. Mosquita muerta.
BEBA.—A lo mejor fueron ellos los que decidieron venir.
LALO.—*(A* BEBA.) No trates de defenderla. *(A* CUCA, *que se levanta y se limpia el sudor de la frente con el brazo derecho.)* Tú siempre espiándonos. *(Comienza a girar en torno a* CUCA.) Asegurándote de nuestros pasos, de lo que hacemos, de lo que decimos, de lo que pensamos. Ocultándote detrás de las cortinas, las puertas y las ventanas... *(Con una sonrisa despectiva.)* La niña mimada, la consentida, trata de investigar. *(Entre carcajadas.)* Dos y dos son cuatro. Sherlock Holmes enciende su pipa lógica. *(En un exabrupto.)* Qué basura... *(Suave, como un gato en acecho.)* Nunca estás conforme. ¿En qué andas...? ¡Cuéntamelo![3].
CUCA.—*(Llena de miedo, no sabe cómo entrar en el juego.)* Yo, Lalo, yo, al fin y al cabo... *(Bruscamente.)* No la cojas conmigo[4].
LALO.—¿Qué buscas, entonces? ¿Por qué te mezclas a esa gente miserable?
CUCA.—*(Con los ojos llenos de lágrimas.)* Si quieres que te demuestre que yo no tenía ninguna intención...
LALO.—Eso es lo que no te perdono.
CUCA.—*(Tratando de seguir en el juego. Con cierta soberbia.)* Son mis amigos.
LALO.—*(Con furioso desdén.)* Tus amigos. Me das lástima. *(Con una sonrisa triunfal.)* No creas que me engañas. Es estúpido.

---

[3] En la primera versión se lee: «¿qué quieres saber?»
[4] «no la cojas conmigo»; cub.: «no te metas en mis asuntos.»

Haces el ridículo. Te opones y pretendes esconderte lo mismo que la gatica de María Ramos[5]. *(Cínico.)* Ya sé que te falta valor para enfrentar las cosas como son... *(Pausa. Otro tono.)* Si eres nuestra enemiga, enseña tus dientes: muerde. Rebélate.

CUCA.—*(Fuera de juego.)* No sigas.

LALO.—Hazlo.

CUCA.—Me sacas de quicio.

LALO.—Ten coraje.

CUCA.—*(Sofocada.)* Perdóname, te lo suplico.

LALO.—*(Imperativo.)* ¡Lánzate!

BEBA.—*(A* LALO.) No la atormentes.

LALO.—*(A* CUCA.) Dame tu rostro.

CUCA.—Me da vueltas la cabeza.

LALO.—Ponte frente a frente.

CUCA.—No puedo.

BEBA.—*(A* LALO.) Déjala un rato.

CUCA.—*(Sollozando.)* No tengo la culpa, Soy así. No puedo cambiar. Ojalá pudiera.

LALO.—*(Molesto.)* ¡Qué comebolas eres![6].

BEBA.—*(A* CUCA.) Ven, chiquilina[7]. *(La aparta y la acompaña hasta una silla.)* Sécate esas lágrimas. ¿No te da vergüenza? Él está en lo cierto y tu atrevimiento es culpable. *(Pausa. Le alisa los cabellos con las manos.)* A ver... *(Muy amable.)* No pongas esa cara. Sonríete, chica. *(Maternal.)* No debiste haberlo hecho; pero si te decidiste, entonces hay que llegar hasta lo último. *(En tono chistoso[8].)* Esa naricita coloradita parece un tomatico. *(Dándole un golpecito a la nariz con el índice de la mano derecha.)* Bobita, qué bobota eres. *(Se sonríe.)*

CUCA.—*(Aferrándose a* BEBA.) No quiero verlo.

BEBA.—Cálmate.

CUCA.—No quiero oírlo.

BEBA.—Él no se come a nadie.

CUCA.—El corazón... Óyelo, va a estallar.

BEBA.—Bah, no seas niña.

---

[5] «la gatica de María Ramos»; cub.: «que enseña las uñas y esconde las manos».

[6] «¡qué comebolas eres!»; cub.: «¡qué estúpido!»

[7] En la primera edición se lee: «Ven, vamos...»

[8] En la primera edición se lee: «haciendo un chiste».

CUCA.—Te lo juro, hermanita.
BEBA.—¡Acostúmbrate...!
CUCA.—Quisiera echar a correr.
BEBA.—Eso pasa al principio.
CUCA.—No lo soporto.
BEBA.—Después resulta fácil.
CUCA.—Es muy nauseabundo.
LALO.—*(Con un caldero en las manos, haciendo una invocación.)* Oh, Afrodita, enciende esta noche de vituperios.
CUCA.—*(A* BEBA, *angustiada.)* Ha empezado de nuevo.
BEBA.—*(A* CUCA. *Conciliadora.)* No le hagas caso.
Cuca.—Lo escupiría, lo...[9].
BEBA.—No lo pinches, que salta.
LALO.—*(Como un emperador romano.)* Oh, asistidme; muero de hastío.

(CUCA, *incapaz de ponerse al mismo nivel de* LALO, *lo repudia en tono de burla.)*

CUCA.—Qué hazaña más extraordinaria. Es igualito que el tío Chicho. ¡Suma y sigue, hermana![10]. *(Con odio. A* LALO.) Eres un monstruo.
LALO.—*(Como un señor muy circunspecto.)* Mientra los dioses callan, el pueblo chilla. *(Tira el caldero hacia el fondo.)*
CUCA.—*(Como la madre. En tono de sarcasmo.)* Tira, rompe, que tú no eres quien paga.
LALO.—*(Con una sonrisa. Hacia la puerta.)* ¡Oh, qué sorpresa!
BEBA.—*(A* CUCA.) ¿Te sientes mejor? (CUCA *mueve la cabeza afirmativamente.)*
LALO.—*(Saludando a unos personajes imaginarios.)* Pasen, pasen... *(Mímica de estrechar las manos.)* Oh, qué tal... ¿Cómo está usted?
BEBA.—*(A* CUCA.) ¿Te decides? (CUCA *asiente con una mueca)*[11].
LALO.—*(A* BEBA.) Están ahí.
BEBA.—*(A* LALO.) Déjalos, ya se irán.

---

[9] En la primera versión se lee: «me dan ganas de escupirlo...»
[10] En la primera versión se lee: «¿verdad hermana?»
[11] En la primera versión se lee: «¿Te sientes mejor? (CUCA *mueve la cabeza afirmativamente.)*»

LALO.—*(A* BEBA.) Han llegado a pasmarnos.
CUCA.—*(A los personajes imaginarios.)* Qué alegría, Margarita.
LALO.—*(A* CUCA.) Vienen a olfatear la sangre.
BEBA.—*(A los personajes imaginarios.)* ¿Cómo están ustedes?
CUCA.—*(A* LALO.) Tú siempre con tu mala intención,
BEBA.—*(A* CUCA. *Como la madre.)* No enciendas la candelita. *(A los personajes imaginarios.)* El asma es una enfermedad pirotécnica. Seguramente continúa haciendo estragos.
LALO.—*(A* CUCA.) Esto no te lo perdonaré.
CUCA.—*(Fingiendo que presta atención a lo que hablan los personajes imaginarios. Con una sonrisa malvada a* LALO.) Ojo por ojo y diente por diente.
BEBA.—*(Como la madre. A* LALO.) Disimula, muchacho.
LALO.—*(A* BEBA.) Es un insulto. *(En otro tono. Con una sonrisa hipócrita a los personajes imaginarios.)* ¿Y usted, Pantaleón? Hacía tiempo que no lo veía. Estaba perdido.
BEBA.—*(Acosando a los personajes imaginarios.)* ¿Cómo anda de la orina? A mí me dijeron los otros días...
CUCA.—*(Acosando a los personajes imaginarios.)* ¿Funciona su vejiga?
BEBA.—*(Asombrada.)* ¿Cómo? ¿Todavía no se ha operado el esfínter?
CUCA.—*(Escandalizada.)* Oh, pero, ¿es así? ¿Y la hernia?
LALO.—*(Con una sonrisa hipócrita.)* Usted, Margarita, se ve de lo mejor. ¿Le ha crecido el fibroma? *(A* BEBA.) Atiéndelos tú.
BEBA.—*(A* LALO.) Qué decirles. Se me agotó el repertorio.
LALO.—*(Secreteando. Empujándola.)* Cualquier bobada. De todas formas quedarás mal. *(Va hacia el fondo.)*
BEBA.—*(Mira a* LALO, *angustiada. Pausa. Inmediatamente después se entrega a la comedia de los fingimientos.)* Qué linda está usted. Opino que la primavera le da..., un aire especial, una fuerza, vaya usted a saber... Hace una calor y un fogaje[12]. Estoy entripada[13]. *(Se ríe.)* Ay, Pantaleón, qué sinvergüencita. Un villanazo. Sí, no se haga el chivo loco. La verruga se le ha puesto de lo más hermosa.

---

[12] En la primera versión se lee: «Hace calor ¿verdad?». En Cuba se dice «la calor».
[13] «estoy entripada»; cub.: «estoy sudando mucho.»

LALO.—*(Como* PANTALEÓN.) No exagere, que no le creo. Los años, mi hijita, lo van a uno deteriorando y acaban por hacerlo un trapo, que es lo peor del caso. *(Se ríe, malicioso.)* Si tú me hubieras conocido en mi juventud, cuando las vacas gordas... Ay, si aquella época resucitara... Pero qué va, pido la luna. *(Otro tono.)* Hoy tengo un dolorcito clavado aquí... *(Señala hacia la región abdominal.)* Mismitico[14] que una punzadita, la punta de un alfiler... *(Suspira.)* Estoy viejo, hecho un carcamal. *(En un tono especial.)* Y esto día tras día, peor. Los hijos no respetan ni perdonan.

BEBA.—*(Como* MARGARITA, *molesta.)* No diga eso, hombre. Qué socotroco[15]. *(Secreteando.)* ¿Cómo vas a nombrar la soga en la casa del ahorcado? *(Sonriente.)* ¿Qué pensarán estos muchachos tan lindos y tan simpáticos? *(A* CUCA.) Ven acá, muñeca. ¿Por qué te escondes? ¿A quién le tienes miedo? ¿Quién es el coco? *(Cuca no se mueve.)* ¿Soy acaso una vieja muy fea?... No te pongas majadera[16], linda. Dime, ¿y tus papitos? ¿Dónde está tu mamita?

LALO.—*(Saltando de la silla. Violento, al público.)* Ya lo ven. ¿No lo dije? A eso vinieron. Los conozco. No me equivoco. *(A* CUCA. *Acusador.)* Son tus amigos. Sácalos en seguida. Quieren averiguar... *(Gritando.)* Que se vayan al diablo, ¿me oyes?, y sanseacabó.

(CUCA *se mueve, gesticula para pronunciar una frase y no se atreve o no puede.)*

BEBA.—*(Como* MARGARITA. *A* CUCA.) No me iré tan pronto. Hemos venido a hacer la visita de costumbre. La debíamos desde el mes antes pasado. Además, estoy tan desmejorada, Tu madre debe de tener algunas hojitas de llantén que me regale y un trocito de palo santo[17].

LALO.—*(Frenético.)* Diles que se vayan, Cuca. Que se vayan al

---

[14] En la primera versión se lee: «Es como una punzadita». «Mismitico»; cub.: «igual que».

[15] «Qué socotroco»; cub.: «no seas imbécil, torpe.» En la primera versión se lee: «Parece mentira.»

[16] «No te pongas majadera»; cub.: «no te pongas fastidiosa.»

[17] «palo santo» son raíces o hierbas que se utilizan para calmar los nervios.

carajo. *(Empuñando un látigo ilusorio, amenazándolos.)* Fuera, fuera de aquí. A la calle.

CUCA.—*(A* LALO.) No seas grosero.

BEBA.—*(Como* MARGARITA. *Dando gritos ahogados de rebeldía.)* Nos atropellan. Esto es una infamia, hijos de Belcebú.

CUCA.—*(A* LALO. *Dueña de la situación.)* Tú, por lo visto, pierdes los estribos muy fácilmente.

BEBA.—*(A los personajes imaginarios.)* Les ruego que lo disculpen.

CUCA.—*(A* LALO.) Ellos no te han hecho nada.

BEBA.—*(A los personajes imaginarios.)* Tiene los nervios muy alterados.

CUCA.—*(A* LALO.) Eres un inconsciente.

BEBA.—*(A los personajes imaginarios.)* El doctor Mendieta le ha mandado mucho reposo.

CUCA.—*(A* LALO.) Qué falta de tacto, de educación y de todo.

BEBA.—*(A los personajes imaginarios.)* Es un ataque inesperado.

CUCA.—*(A* LALO, *que disimula su risa.)* Esto no tiene perdón de Dios.

BEBA.—*(A los personajes imaginarios.)* Adiós, Margarita. Buenas noches, Pantaleón. No se olvide. Mamá y papá fueron a Camagüey y no sabemos cuando... Esperamos que vuelvan pronto. Adiosito. *(Les tira un beso con fingida ternura. Pausa. A* LALO.) ¡Qué mal rato me has hecho pasar! *(Se sienta al fondo y comienza a lustrar unos zapatos.)*

CUCA.—*(Sutilmente amenazadora.)* Cuando mamá lo sepa...

LALO.—*(En un exabrupto.)* Ve a decírselo, anda. *(Llamando.)* Mamá, papá. *(Ríe.)* Mamita, papito. *(Desafiante.)* No te demores. Sóplaselo en los oídos. Indudablemente te lo agradecerán. Apúrate, corre. *(Toma por un brazo a Cuca y la lleva hasta la puerta. Vuelve hacia el primer plano.)* Eres una calamidad. Nunca te decides a fondo. Quieres y no quieres. Eres y no eres. ¿Crees que con esto basta? Siempre hay que jugársela. No importa ganar o perder. *(Cínico.)* Pero tú te contentas con ir al seguro. El camino más fácil. *(Pausa.)* Y ahí está el peligro. Porque en ese estira y encoge, te quedas en el aire, sin saber qué hacer, sin saber lo que eres y, lo que es peor, sin saber lo que quieres.

CUCA.—*(Con calma.)* No te des tantos golpes de pecho.

LALO.—Por mucho que lo intentes no podrás salvarte.
CUCA.—Tú tampoco podrás.
LALO.—No serás tú quien me detenga.
CUCA.—Cada día que pasa te irás poniendo más viejo... y aquí, aquí, encerrado entre telarañas y polvo. *(Con una sonrisa malvada.)* Lo sé, lo veo, lo respiro.
LALO.—Sí, ¿y qué?
CUCA.—Hacia abajo, hacia abajo.
LALO.—Eso es lo que tú deseas.
CUCA.—No me hagas reír.
LALO.—Es la verdad.
CUCA.—¡Jeringa, y acepta las consecuencias...![18].
LALO.—Al fin saltó el gallito de pelea.
CUCA.—Digo lo que pienso.
LALO.—Tú no te das cuenta que lo que yo propongo es simplemente la única solución que tenemos. *(Agarra una silla y la agita en el aire.)* Esta silla, yo quiero que esté aquí. *(De golpe pone la silla en un sitio determinado.)* Y no aquí. *(De una vez coloca la misma silla en otro lugar.)* Porque aquí *(Velozmente vuelve a instalarla en el primer sitio.)* me es útil: puedo sentarme mejor y más rápido. Y aquí *(Sitúa la silla en la segunda posición.)* es sólo un capricho, una sonsera[19] y no funciona... *(Acomoda la silla en la primera posición.)* Papá y mamá no lo consienten. Creen que está fuera de lógica. Se empeñan en que todo permanezca inmóvil, que nada se mueva de su sitio... Y eso es imposible; porque tú, Beba y yo... *(En un grito.)* Es intolerable. *(Persuasivo.)* Además se imaginan que digo y hago disparates, lo que ellos estiman disparates, por contradecirlos, por oponerme, por humillarlos...[20].
CUCA.—En una casa, los muebles...
LALO.—*(Enérgico.)* Eso es una excusa. ¿Qué vale esta casa, qué valen estos muebles[21], si nosotros simplemente vamos y ve-

[18] En la primera versión se lee: «Hago lo que quiero.»
[19] «sonsera»; cub.: «bobería.»
[20] En la primera versión se lee: «es sólo un capricho, una bobería y no funciona» y más lejos se lee: «Además, se imaginan que yo hago estas cosas por contradecirlos, por oponerme, por humillarlos...»
[21] En la primera versión se lee: «¿qué importa esta casa, qué importan estos muebles?...»

nimos por ella y entre ellos igual que un cenicero, un florero o un cuchillo flotante? *(A* CUCA.) ¿Eres tú acaso un florero? ¿Te gustaría descubrir que hasta la fecha eres realmente eso? ¿O que como eso te han estado tratando buena parte de tu vida? ¿Soy yo acaso un cuchillo? Y tú, Beba, ¿te conformas con ser un cenicero? No, es estúpido. *(Con ritmo mecánico.)* Ponte aquí. Ponte allá. Haz esto. Haz lo otro. Haz lo de más allá. *(Otro tono.)* Yo quiero mi vida: estos días, estas horas, estos minutos..., para decir y hacer lo que deseo o siento. Sin embargo, tengo las manos atadas. Tengo los pies atados. Tengo los ojos vendados. Esta casa es mi mundo. Y esta casa se pone vieja, sucia y huele mal. Mamá y papá son los culpables. Me da pena, una profunda pena. Y lo más terrible, no se detienen un segundo a pensar si debiera de ser de otro modo. Ni tú tampoco. Y Beba mucho menos... Si Beba juega, es porque no puede hacer otra cosa.

CUCA.—Pero, ¿por qué te ensañas con papá y mamá? ¿Por qué les echas la culpa?

LALO.—Porque ellos me hicieron un inútil.

CUCA.—¡Cuentos de caminos!

LALO.—¿Para qué voy a mentir?

CUCA.—Tratas de encubrirte.

LALO.—Trato de ser honesto.

CUCA.—Eso no te da derecho a exigir tanto. Tú también te las traías. ¿Recuerdas cuáles eran tus juegos? Destruías nuestras muñecas; inventabas locuras; querías que nosotras fuéramos tu sombra, o algo peor, igual que tú.

LALO.—Era una manera de liberarme del peso que me imponían.

CUCA.—No puedes negar que siempre se han ocupado, que siempre te han querido[22].

LALO.—Detesto que me quieran de esa forma. He sido cualquier tareco[23] para ellos, menos un ser de carne y hueso.

---

[22] En la primera versión se lee: «... que siempre te han cuidado, que siempre te han querido.»

[23] «Tareco»; cub.: «trasto», «cosa». En la primera versión se lee: «He sido cualquier cosa para ellos...»

(BEBA, *desde el fondo, limpiando los zapatos, imita al padre.)*

BEBA.—*(Como el padre.)* Lalo, desde hoy limpiarás los pisos. Zurcirás la ropa. Te advierto que tengas mucho cuidado con ella. Tu madre está enferma y alguien tiene que hacerlo. *(Va hacia el fondo y prosigue lustrando los zapatos.)*
CUCA.—Mamá y papá te lo han dado todo...
LALO.—*(A* CUCA.) ¿A costa de qué...?
CUCA.—Pero, tú, deliras... Recuerda, Lalo, lo que ganaba papá. Noventa pesos. ¿Qué más querías que te dieran?
LALO.—¿Por qué me dijeron desde el principio: «No vayas con Fulanito al colegio»; «No salgas con Menganito», «Perensejo[24] no te conviene»? ¿Por qué me hicieron creer que yo era mejor que Zutano? Mamá y papá piensan que si nosotros tenemos un cuarto, cama y comida, ya es suficiente; y, por tanto, tenemos que estar agradecidos. Han repetido mil veces hasta cansarme que muy pocos padres hacen lo que ellos, que sólo los niños ricos pueden darse la vida que nosotros nos damos.
CUCA.—Compréndelos... Ellos son así... Después había que sacudirse.
LALO.—Yo no pude. Creí demasiado en ellos. *(Pausa.)* ¿Y mis deseos? ¿Y mis aspiraciones?
CUCA.—Desde chiquito quisiste salirte siempre con la tuya.
LALO.—Desde chiquito, desde que era así, me dijeron: «Tienes que hacer esto»; y si lo hacía mal: «¿Qué se puede esperar de ti?» Y entonces vengan golpes y castigos.
CUCA.—Todos los padres hacen lo mismo. Eso no significa que tú tengas que virar la casa al revés.
LALO.—Sueño que lo que hago tenga un sentido verdadero, que tú, Beba, y yo podamos decir: «Hago esto»; y lo hagamos. Si queda mal: «Es una lástima. Trataré de hacerlo mejor.» Si queda bien: «Pues, ¡magnífico! A otra cosa, mariposa.» Y hacer y rectificar y no estar sujeto a imposiciones ni pensar que tengo la vida prestada, que no tengo derecho a ella. ¿No se te ha ocurrido nunca lo que significa que tú puedas pensar, decidir y hacer por tu propia cuenta?

---

[24] «Perensejo»; cub.: «Perengano.»

CUCA.—Nosotros no podemos...
LALO.—*(Violento.)* No podemos. No podemos. ¿Vas a endilgarme[25] el cuento que me metieron por los ojos y los oídos hace un millón de años?
CUCA.—Mamá y papá tienen razón.
LALO.—Yo también la tengo. La mía es tan mía y tan respetable como la de ellos.
CUCA.—¿Te rebelas?
LALO.—Sí.
CUCA.—¿Contra ellos?
LALO.—Contra todo.

(En ese instante vuelve BEBA *a recrear la aparición del padre. Estas intervenciones serán aprovechadas al máximo desde el punto de vista plástico.)*

BEBA.—*(Como el padre.)* Lalo, lavarás y plancharás. Es un acuerdo que hemos tomado tu madre y yo. Ahí están las sábanas, las cortinas, los manteles y los pantalones de trabajo... Limpiarás los orinales. Comerás en un rincón de la cocina. Aprenderás; juro que aprenderás. ¿Me has oído? *(Vuelve hacia el fondo.)*
CUCA.—¿Por qué no te vas de la casa?
LALO.—¿A dónde diablos me voy a meter?
CUCA.—Deberías probar.
LALO.—Ya lo he hecho. ¿No te acuerdas? Siempre he tenido que regresar con el rabo entre las piernas.
CUCA.—Prueba otra vez,
LALO.—No... Reconozco que no sé moverme en la calle; me confundo, me pierdo... Además, ignoro lo que me pasa, es como si me esfumara. Ellos no me enseñaron; al contrario, me confundieron...
CUCA.—Entonces, ¿cómo disponer, gobernar, si tú mismo confiesas...?
LALO.—Lo que conozco es esto; a esto me resigno.
CUCA.—Te aferras...

---

[25] En la primera versión se lee: «¿Vas a repetirme...?»

LALO.—Me impongo.
CUCA.—Estás dispuesto, por lo tanto, a insistir...
LALO.—Cuantas veces sea necesario.
CUCA.—¿Y llegar hasta lo último?
LALO.—Es mi única salida.
CUCA.—Pero, ¿y la justicia no va meter las narices en esto? ¿Y tú solo vas a poder contra ella?
LALO.—Tal vez; aunque quizás...
CUCA.—¿De qué manera?
LALO.—Espera y verás.
CUCA.—Pues yo no te apoyo. ¿Me entiendes? Los defenderé a capa y espada, si es necesario. A mí no me interesa nada de eso. Yo acepto lo que mamá y papá dispongan. Ellos no se meten conmigo. Me dan lo que se me antoja... hasta pajaritos volando. Allá tú, que eres el cabeciduro[26]. Bien dice papá que eres idéntico a los gatos, que cierras los ojos para no ver la comida que te dan. *(Da unos pasos.)* Apártate. Jamás participaré en tu juego. *(A* BEBA.) Y tú no cuentes tampoco. *(Otro tono.)* Ay, líbrame, Dios mío, de esa voracidad. *(Pausa.)* Ellos son viejos y saben más que yo de la vida... Lo considero una vejación, una humillación. Ellos han luchado, se han sacrificado; merecen nuestro respeto al menos. Si esta casa anda mal, es porque tenía que ser así... No, yo no puedo oponerme.
LALO.—*(Divertido. Aplaudiendo.)* Bravo, estupenda escenita.
BEBA.—*(Divertida. Aplaudiendo.)* Merece un premio.
LALO.—A inventarlo.
BEBA.—La niña promete.
LALO.—Pero es una imbécil.
BEBA.—Es sensacional.
LALO.—Es una idiota.
BEBA.—Es una santa. *(Aplauden rabiosamente y en tono de burla.)*
CUCA.—Búrlense. Ya llegará mi hora, y no tendré piedad.
LALO.—¿Conque esas tenemos?
CUCA.—Haré lo que me dé la gana.

---

[26] «cabeciduro»; cub.: «testarudo.» En la primera versión se lee: «... que eres el más cabeciduro.»

LALO.—Haz la prueba.
CUCA.—Tú no me mandas. *(Da unos pasos atrás, alejándose.)*
LALO.—*(Sarcástico.)* Estás cogiendo miedo. *(Ríe.)*
CUCA.—*(Furiosa.)* Tengo manos, uñas, dientes.
LALO.—*(Agresivo, retador.)* Ahora soy yo el que manda.
CUCA.—No te acerques.
LALO.—Harás lo que yo diga. *(La agarra por un brazo y comienzan a forcejear.)*
CUCA.—*(Furiosa.)* Suéltame.
LALO.—¿Me obedecerás?
CUCA.—Abusador.
LALO.—Harás lo que se me antoje.
CUCA.—Me haces daño.
LALO.—¿Sí o no?
CUCA.—Te aprovechas... *(Totalmente vencida.)* Sí, haré lo que mandes.
LALO.—Rápido. Levántate.
CUCA.—*(A* BEBA.) Ayúdame.

(BEBA *da unos pasos aproximándose a* CUCA. LALO *en un gesto la detiene.* CUCA *hace un simulacro de que no puede levantarse.)*

LALO.—Que se levante ella sola.
BEBA.—*(A* LALO.) Perdónala.
LALO.—*(En un grito.)* No te metas.
BEBA.—*(Desesperada.)* Ay, gritos y más gritos. No puedo más. Vine aquí a ayudarlos o a divertirme. Porque no sé qué hacer... Vueltas y más vueltas... Igualita que un trompo; y esos gritos de los mil demonios por cualquier guanajería[27]: por un vaso de agua, por un jabón que se cayó al suelo, por una toalla sucia, por un cenicero roto, porque va a faltar el agua, porque no hay tomates... No me explico cómo pueden vivir de este modo... ¿Por ventura no hay cosas más importantes? Y yo me pregunto: ¿Para qué existen las nubes, los árboles, la lluvia, los animales? ¿No debemos detenernos un

[27] «Guanajería»; cub.: «bobería», procede de «guanajo», el pavo. En la primera versión se lee: «... Uno parece un trompo; y si no, esos gritos de los mil demonios por cualquier bobería.»

día en todo eso? Y corro y me acerco a la ventana... Pero mamá y papá siguen gritando: «Esa ventana, el polvo, el hollín... ¿Qué estará pensando esa niña? Entra, que vas a coger un catarro.» Si voy a la sala y enciendo el radio: «Están gastando mucha corriente y el mes pasado y el antes pasado se gastó tanto y no se puede continuar en ese tren. Apaga eso. Ese ruido me atormenta.» Si me pongo a cantar esa cancioncita que has improvisado últimamente: «La sala no es la sala», entonces arde la casa, es un hormiguero revuelto y sigue la gritería, mamá y papá contra Lalo, Lalo contra mamá, mamá contra Lalo, Lalo contra papá, papá contra Lalo y yo en el medio. Al fin vengo y me meto aquí... Pero ustedes en su pugilato se eternizan discutiendo, como si esta casa se pudiera arreglar con palabras, y terminan fajándose[28] también. Ay, no aguanto más. *(Decidida.)* Me voy. (LALO *la sujeta por un brazo.)* Déjame. Sorda, ciega. Muerta.

LALO.—*(Con ternura, aunque firme.)* No digas eso.

BEBA.—Es lo que deseo.

LALO.—Si me ayudaras, quizás podríamos salvarnos.

BEBA.—*(Lo mira repentinamente alucinada.)* ¿Qué estás diciendo? *(Se aferra a sus brazos.)* Sí, hoy podemos.

(Inmediatamente, LALO *empuña dos cuchillos. Observa el filo y los frota entre sí.)*

BEBA.—*(A* LALO.) ¿Vas a repetir la historia?

CUCA.—Por favor, no sigan.

(BEBA *se mueve en los diferentes planos de escenario. Cada personaje exige una posición distinta.)*

BEBA.—*(Como una vecina chismosa.)* ¿Ya lo sabes, Cacha? La noticia apareció en el periódico. Sí, hija. Pero la vieja Margarita, la de la esquina, y el Pantaleón, el tuerto, lo vieron todo, con pelos y señales, y me contaron.

LALO.—*(Frotando los dos cuchillos.)* Ric-rac, ric-rac, ric-rac, ric-rac, ric-rac, ric-rac.

---

[28] «fajándose»; cub.: «golpeándose.»

BEBA.—*(Como un comerciante español, borracho.)* El viejo Pantaleón y Margarita lo saben de a a zeta... Hay que joderse. Qué clase de hijos vienen al mundo. Aseguran que estaban en un limbo... ¡El acabose, el Apocalipsis!, lo digo yo. Ya lo afirma el refrán: «Cría cuervos...» *(Se ríe.)* ¿Ha visto la fotografía en primera plana?

LALO.—*(Frotando los dos cuchillos.)* Ric-rac, ric-rac, ric-rac, ric-rac, ric-rac, ric-rac.

BEBA.—*(Como* MARGARITA, *hablando con sus amigas.)* Nosotros fuimos a eso de las nueve, o de las nueve y media... La hora de las visitas... Pues bien, hija..., yo desde que entré me dije: «Pá su escopeta[29]. Aquí pasa algo raro.» Tú sabes como yo soy. Tengo un olfato, y una vista... Y efectivamente... Qué espectáculo, niña. *(Horrorizada.)* Qué manera de haber sangre. Era de anjá[30]. Mira, me erizo de pies a cabeza... Un descalabro, mi amiga, porque si uno pudiera... Cavilo y cavilo, y me rompo la crisma... Figúrate, qué situación... Porque uno a las claras..., impotente..., y es horrible, vieja... Y después un reguero, un... Creo que había unas jeringuillas... ¿No es verdad, Pantaleón? Y pastillas y ámpulas... Esos muchachos son de mala sangre, y le viene de atrás... Ay, Consolación, pregúntale a Angelita lo que ella vio hace una semana... Un estropicio[31]. Y unos padres tan generosos, tan abnegados. Pero él, ese Lalo, el cabecilla. No cabe la menor duda. Él, y nadie más que él... Ah, si vieras el cuchillo. Qué cuchillo. Un matavaca[32], ángel del cielo.

LALO.—*(Abstraído en su quehacer.)* Ric-rac, ric-rac, ric-rac, ric-rac, ric-rac, ric-rac.

BEBA.—*(Como Pantaleón.)* Yo se lo dije a Margarita: «Mujer, contención.» Y en seguida empezó a menear la cuchareta de que si los hijos, de que si estos tiempos eran malos... Usted asimile cómo es ella. La sin hueso que no para un minuto. Ellos... No, ellos no. Él, Lalo... Aunque a veces me inclino a pensar que, bueno, válgame Dios, quién fue...

---

[29] «Pá su escopeta»; cub.: «Dios mío.»
[30] «Era de anjá»; cub.: «terrible, espantoso y extraordinario.»
[31] En la primera versión se lee: «... hace unos días... qué barbaridad.»
[32] «Un matavaca»; cub.: «un cuchillo grande.»

Pero, yo..., casi lo afirmaría... Porque las muchachitas..., me luce que no... Si tú hubieras visto, mi socio, la cara que puso Lalo... Era increíble. Una furia... Sí, un energúmeno... Poco faltó para que nos entrara a golpes. Y yo, con mi artritis..., y mis... Pero, tomando el hilo del asunto, eso sí que no. Él, haga lo que haga, a mí me tiene sin cuidado, allá con su conciencia... Ahoritica, meterse con nosotros..., Dios lo libre. El muy sinvergüenza, el muy degenerado... Ah, si llegas a ver el charco de sangre..., y el olor... ¡Qué raro es todo! *(Risita histérica.)* Aquello... Horrible, sí..., horrible es la palabra. Nosotros debemos manifestarnos. *(Grandilocuente.)* Protestamos contra ese hijo desnaturalizado. *(Otro tono.)* ¿Qué le parece?

LALO.—*(En su extraño quehacer.)* Ric-rac, ric-rac, ric-rac, ric-rac, ric-rac, ric-rac.

(LALO *ha seguido frotando los cuchillos. Este acto, aparentemente simple, crea, acompañado de los sonidos emitidos por el propio* LALO, *un climax delirante.* CUCA *se transforma en un vendedor de periódicos.* BEBA *va hacia el fondo.)*

CUCA.—*(Gritando.)* Avance. Última noticia. El asesinato de la calle Apodaca. Cómprelo, señora. No se lo pierda, señorita. Un hijo de treinta años mata a sus padres. ¡Corrió la sangre en grande!... El suplemento con las fotografías. *(Casi cantando.)* Les sopló a los viejos cuarenta puñaladas. Cómprelo. Última noticia. Vea las fotos de los padres inocentes. No deje de leerlo, señora. Es espantoso, caballero. Avance. *(Va hacia el fondo.)* Última noticia. *(Lejano.)* Tremendo tasajeo....

LALO.—*(En su labor.)* Ric-rac, ric-rac, ric-rac, ric-rac, ric-rac.

(Pausa. BEBA *desde el fondo se dirige hacia el primer plano.)*

BEBA.—*(Como el padre.)* Lalo, ¿qué has estado haciendo? ¿Y esa cara? ¿Por qué me miras así? Dime, ¿con quién anduviste? ¿Y esos cuchillos? Responde. ¿Te has tragado la lengua? ¿Por qué has llegado tarde?

LALO.—*(Como un adolescente.)* Papá, unos amigos...

BEBA.—*(Como el padre.)* Dame acá. *(Le arrebata violentamente los cuchillos.)* Siempre con porquerías. *(Probando el filo de un cuchi-*

llo.) Corta, ¿eh? ¿Vas a matar a alguien? Dime. No te quedes como un pazguato. ¿Piensas que te gobiernas? ¿Crees que lo voy a consentir? Tú, a tus anchas, sin pedirme permiso. Te lo he machacado una y mil veces que éstas no son horas de andar mataperreando. *(Lo abofetea.)* ¿Cuándo aprenderás a obedecer? ¡Ya ningún tipo de amenaza te detiene! ¿Entrarás por el aro, sí o no?... Y tu madre martirizada, con el corazón en la boca. ¿Pretendes matarnos de sufrimientos? ¿Qué te propones?... ¡Y conmigo, ninguna consideración! ¡No hagas muecas! *(Lo empuja hacia una silla.)* ¡Siéntate! ¡El cuarto oscuro te aguarda! (LALO *gesticula.)* No me contestes. ¡Esta falta de respeto! Yo, que te lo he dado todo. Mal hijo. Mala entraña. Yo, que me he privado... Y tu madre que me echa en cara que salgo con los amigos y con las compañeras de trabajo. Más de un negocio me ha salido mal por ti, por ustedes... ¿No ves que he renunciado, que he...?[33]. Treinta años... Treinta años detrás de un buró, en el Ministerio, comiéndome los hígados y pasando un millón de necesidades, y los jefes a la bartola y sacándome el quilo. No tengo un traje presentable ni un par de zapatos de salir..., para que me pagues de esta manera. Treinta años, que no es un jueguito. Treinta años soñando, para que el hijo me salga un vago, un bellaco de siete suelas... Que no trabaja, ni estudia, y que... Dime, ¿qué es lo que intentas? ¿Qué has estado haciendo?

LALO.—*(Tembloroso.)* Estuvimos leyendo...

BEBA.—*(Como el padre.)* ¿Leyendo, qué?... ¿Cómo leyendo...?

LALO.—*(Cabizbajo.)* Una revista de aventuras, papá.

(CUCA *avanza desde el fondo con aplomo y malvada intención, hacia el primer plano.* BEBA *va hacia el fondo.)*

CUCA.—*(Como la madre.)* Revistas. Revistas. Revistas. Mentira. Inventa otra. Di la verdad. (BEBA, *como el padre, se acerca de una manera agresiva a* LALO.) No, Alberto, no le pegues. (BEBA, *como el padre malhumorado, desparece. A* LALO, *en otro tono.)* Me alegro que esto te haya pasado. Me alegro, me alegro. *(Otro tono.)* ¿Dónde está el dinero que tenía escondido

---

[33] En la primera versión se lee: «¿No están viendo los sacrificios?»

en el aparador? *(Escena muda de* LALO.) ¿Lo cogiste? ¿Lo gastaste? ¿Lo perdiste? *(Con odio.)* Ladrón. Eres un canalla, un facineroso[34]. *(Con lágrimas en los ojos.)* Se lo diré a tu padre. No, no me digas ni pío. *(Escena muda de* LALO.) Víbora. *(Otro tono.)* Te matará, si lo sabe. *(Otro tono.)* Ay, Virgen Santísima, ¿qué habré hecho yo para que me castigues así? *(Furiosa.)* Dame el dinero. *(Escena muda de* LALO.) Suéltalo o llamo a la policía... *(Registra los bolsillos de* LALO, *que está totalmente anonadado.)* Ratero. Mil veces ratero. ¡Alberto! ¡Alberto! Debía golpearte. Arrastrarte. Meterte en un reformatorio. (LALO *permanece de espaldas al público, impávido.)*

BEBA.—*(Desde el fondo como una niña.)* Mamá, mamita, ¿esto es un elefante?

LALO.—*(Como el padre.)* Beba, ven acá, muéstrame las manos. (BEBA *se desplaza hasta el primer plano. Le extiende las manos.)* Esas uñas a cortarlas... ¿Cuándo dejarás de ser tan...? *(A* CUCA.) Tráeme unas tijeras, mujer. (CUCA *se aproxima a* LALO *y le secretea al oído.)* ¿Cómo? ¿Qué me cuentas?... ¿Es verídico? ¿Y Lalo...? ¿Dónde se ha metido? (CUCA *y* LALO *miran a* BEBA *insidiosos, conspirativos.)* ¿Es cierto lo que me dice tu madre? Confiesa, o... ¿Te has levantado el vestido y le has enseñado los pantaloncitos a un montón de bergantes?[35]. ¿Será posible? *(Escena muda de* BEBA.) ¡Sucia! (CUCA, *como la madre, se sonríe.)* Te voy a... *(Entre* LALO *y* CUCA *acorralan a* BEBA.) Serás una cualquiera, pero no mientras yo viva. *(Sacudiéndola por los hombros.)* Óyelo, sangrona. Te voy a matar por puerca. *(Pausa.)* ¿Dónde está tu hermano? *(Llamándolo.)* Lalo, Lalo... *(A* CUCA.) ¿Te robó?

BEBA.—*(Saliendo del juego.)* La cabeza me va a explotar.

LALO.—*(Imperativo.)* Sigue, muchacha.

CUCA.—*(Mordaz.)* Hazle caso al mandamás.

BEBA.—*(Angustiada.)* Aire, un poco de aire.

LALO.—*(A* BEBA.) En ese instante sonaba el timbre de la puerta.

(BEBA *cae derrumbada en una silla.)*

---

[34] En la primera versión se lee: «eres un sinvergüenza.»

[35] En la primera versión se lee: «... le has enseñado los pantalones a un montón de mataperros.»

CUCA.—*(Como la madre.)* ¿Has oído, Alberto?
BEBA.—*(Desesperada.)* Creo que voy a arrojar.
LALO.—*(Indignado.)* Ésta lo echa todo a perder.
CUCA.—*(Como la madre.)* Chist. Un momento, muchachos. El timbre de la puerta ha vuelto a sonar.
LALO.—*(Como el padre. Saludando a un personaje imaginario que se asoma por la puerta.)* Entre usted, Angelita. Dichosos los ojos...
CUCA.—*(Como la madre. A* BEBA.) Dime, cariño. Cielito mío, ¿qué te pasa? *(Mímica de abnegación y cuidado.)*
LALO.—*(Como el padre. Al personaje imaginario.)* Déjese de cumplidos, Angelita. *(En el tono de su voz hay un acento de cordialidad y espontaneidad convincente.)* Esta es su casa. Siéntese.
CUCA.—*(Como la madre. A* BEBA.) Ponte cómoda, nenita. ¿Necesitas una almohadita? *(Sus palabras denotan gran sinceridad y la gradual pérdida de la paciencia.)* ¿Te molesta esa posición? Échate para atrás.
LALO.—*(Como el padre.)* ¿Y Lalo? ¿Dónde se habrá escondido? Ay, Angelita, no se percata usted de lo que son estos chiquillos. Son tres, pero dan guerra por un batallón.
CUCA.—*(Como la madre. A* LALO.) Alberto, yo creo que... *(Al personaje imaginario.)* Perdone usted, Angelita, que no la haya atendido...; la niña me figuro está malita del estómago.
LALO.—*(Como el padre.)* ¿Le pusiste el termómetro? (CUCA *afirma con la cabeza.)*
CUCA.—*(Como la madre.)* Esto es terrible. (BEBA *forcejea con* CUCA.)
LALO.—*(Al personaje imaginario.)* ¿No se lo decía yo a usted hace un segundo? Son peores que los hijos de Mamá Coleta[36], pero conmigo no pueden. Mano de hierro y un látigo. En suma, es un decir.
CUCA.—*(Como la madre. Con inquietud. A* LALO.) ¿Qué podemos hacer?

---

[36] «Son peores que los hijos de Mamá Coleta». Con esta expresión, Triana alude a un suceso sangriento de la vida cubana campesina que ocurrió en los años cincuenta. Se decía que los hijos y los nietos de Mamá Coleta, una mujer varonil, tenían prácticas incestuosas. Una noche mataron a toda su familia. Tras la masacre, iban a salir, desnudos, a caballo; entonces los prendió la policía. En la primera versión se lee: «Son peores que el diablo.»

LALO.—*(Como el padre.)* ¿Tiene fiebre? (CUCA *niega con la cabeza.)* ¿Le has dado un cocimiento de manzanilla?
CUCA.—*(Como la madre.)* No quiere probar nada.
LALO.—*(Como el padre.)* Oblígala.
CUCA.—*(Como la madre.)* Todo lo vomita.
LALO.—*(Como el padre.)* Hazle un té negro.
CUCA.—*(Como la madre.)* Ay, Angelita, usted no sospecha los sufrimientos, las angustias... ¿Para qué tendrá uno hijos?
LALO.—*(Como el padre . Empuñando una taza, y forzándola a que beba el líquido)*[37]. Tómatelo. (BEBA *rechaza la taza.)* Por las buenas o por las malas, te lo tomarás.
BEBA.—*(En un grito. Fuera de situación.)* Déjenme ya. *(Se levanta como una furia. A un primer plano.)* Ustedes son unos monstruos. Los dos, iguales. *(Gritando hacia el fondo del escenario.)* Quiero irme. Déjenme salir. (CUCA *y* LALO *se esfuerzan en detenerla, sin embargo ella llega hasta la puerta. Grita.)* Mamá, papá, sáquenme. *(Cae llorando junto a la puerta.)* Sáquenme de aquí.
LALO.—*(Como el padre.)* Pero, ¿esto qué cosa es?
CUCA.—Bonito espectáculo. *(Aproximándose a* BEBA.) Tú, precisamente tú..., que por hache o por be me has estado empujando: «Únete, no seas boba. Nos divertiremos.» Es inconcebible. Lo estoy viendo y me parece una tomadura de pelo[38]. Vamos, levántate. *(La ayuda a pararse. Como la madre.)* Recuerda que estás delante de una visita. *(Al visitante imaginario.)* Son tan malcriados, tan insoportables... *(A* BEBA. *Llevándola hasta la silla donde estaba sentada.)* Muñeca mía, compórtate como la niña fina que eres, como una niñita educada...
BEBA.—*(Como una niña.)* Me quiero ir.
CUCA.—*(Como la madre.)* ¿A dónde quieres ir, nenita?
LALO.—*(Fuera del juego. Violento.)* Esto no es así. Esto no sirve.
CUCA.—*(Como la madre.)* No te sulfures, Alberto.
LALO.—Me dan deseos de estrangularla.
CUCA.—*(Como la madre.)* Paciencia, hombre.

---

[37] En la primera versión se lee: *«Empuñando una taza. Obligándola).»*
[38] En la primera versión se lee: «Lo estoy viendo y me parece mentira.»

BEBA.—*(Llorando.)* Tengo miedo.
LALO.—¿Miedo, a qué? ¿Por qué llora?
CUCA.—*(Como la madre.)* Ignórala. Es lo mejor, Alberto.
LALO.—*(Como el padre. Con gestos torpes.)* Algunas veces... *(Se golpea la rodilla derecha.)* Compréndeme, mujer.
CUCA.—*(Como la madre.)* ¿Cómo no voy a comprenderte? *(Suspira.)* Ay, Alberto, tú también eres un niño. ¡Si lo sabré yo, Angelita!
BEBA.—*(Como un furia. En pie.)* ¡Basta!... Quisiera reventar. Quisiera volar. No soporto este encierro. Me ahogo. Voy a morir y detesto sentirme aplastada, hundida en este cuarto..., ay no puedo más... Por favor, yo les suplico, déjenme.

(CUCA *se acerca a* BEBA *y le echa un brazo por los hombros. Su rostro y sus gestos muestran una ternura disimulada.)*

CUCA.—*(Como la madre.)* Vete, amorcito. Estás un poquito nerviosa. (BEBA *se queda en el fondo oscuro.* CUCA *regresa con una sonrisa que se convierte en una carcajada.)* ¿Ha visto algo igual? Parecía que la estábamos torturando. ¡Qué cabeza tienen estos muchachos...! *(Se sienta. Se arregla el pelo.)* Mire como estoy. Debo lucir una mona salida del circo. ¡No he tenido tiempo hoy ni de respirar! ¡Qué lucha, Angelita, qué lucha! Perdone que no la haya atendido antes... *(Oye lo que dice el personaje imaginario.)* Sí, naturalmente... Aunque usted es como de la familia. *(Sonríe hipócritamente.)* Pero así y todo, a mí me gustan los detalles... ¿Verdad, Alberto? No te agites por gusto, viejo. Paz y serenidad. (LALO *se levanta.)* ¿A dónde vas? Fíjate en lo que haces. *(Mirada significativa de* LALO. *Sonrisa de ella.)* Ah, sí... (LALO *se dirige hacia lo oscuro.)* Fue a darles una vueltecita a esos vejigos[39] que me traen al trote[40]. Hay que andar con cuatro ojos, que digo cuatro, cinco, ocho, diez... Vigilarlos, espiarlos, estar de por vida en acecho, porque son capaces de las mayores atrocidades.

[39] «vejigos»; cub.: «muchachos» («echar una ojeada a estos muchachos»).
[40] «me andan al trote»; cub.: «traerle a uno a mal vivir.»

(Bruscamente aparece LALO *con un velo de novia, un tanto raído y sucio.* LALO *imita a la madre en su juventud, el día de la boda en la iglesia. Al fondo,* BEBA *tararea la marcha nupcial.* LALO *no exagera sus movimientos. Se prefiere, en este caso, un acento de ambigüedad general.)*

LALO.—*(Como la madre.)* Ay, Alberto, tengo miedo. El olor de las flores, la música... Ha venido mucha gente. Pero no vino tu hermana Rosa, ni tu prima Lola... ¡Ellas me aborrecen! Lo sé, Alberto... Han estado hablando horrores: que si yo, que si mamá es esto y lo otro... ¡Qué sé yo...! ¿Tú me amas, Alberto? ¿Te luzco bonita...? Ay, me duele el vientre. Sonríete. Por ahí se asoma el canchanchán del doctor Núñez, y su mujer... ¿La gente llevará la cuenta de los meses que tengo? Si se enteran, me moriría de vergüenza. Las hijas de Espinosa te están sonriendo..., esas pu... Ay, Alberto, me mareo y me late el vientre, pum, pum..., sujétame, no me pises la cola que me caigo... Ay, pipo, quiero sacarme este muchacho... Está clarísimo que tú te decidiste por él, y yo no lo resisto. Ay, que me caigo... Alberto, Alberto, estoy haciendo el ridículo... Debimos haber aplazado la ceremonia para otro día... Ay, esa música y el olor de las flores, qué náuseas. Y ahí viene tu madre, la muy zorra... Ay, Alberto, me falla la respiración... ¡Esta maldita barriga! Quisiera arrancarme este...

CUCA.—*(Como la madre. Con odio, casi masticando las palabras.)* Me das asco. *(Le arranca el velo a viva fuerza.)* ¡Cómo pude parir semejante engendro! Me avergüenzo de ti, de tu vida. ¿Así que..., salvarte? No, chico; deja eso de la salvación... Ahógate. Muérete. ¿Supones que voy a soportar que tú, que tú, te permitas el lujo de criticarme, de juzgarme delante de las visitas? ¡No te has mirado bien el pregenio![41]. ¡Si apenas sabes dónde tienes las narices! *(Al personaje imaginario. Otro tono.)* Excúseme usted, Angelita. No se vaya, por favor. *(Con tono duro.)* Durante mucho tiempo te he rogado que me ayudaras. Hay una caterva de trastos que limpiar en esta casa, y los pla-

---

[41] «el pregenio»; cub.: «la figura, el porte.» En la primera versión se lee: «¡No te das cuenta de lo que eres!»

tos, la fiambrera, el polvo y las manchas de agua en los espejos. Y zurcir y bordar y coser... (LALO *se enfrenta a* CUCA.) Apártate. Sueñas con virarme la casa patas arriba y eso no lo consentiré, ni aún después de muerta. El cenicero a la mesa. *(Coloca el cenicero en la mesa.)* El florero a la mesa. *(Sitúa el florero en la mesa.)* ¿Qué te has creído? En seguida se lo diré a tu padre... *(Con rencor.)* Desgraciado, ¿qué será de ti sin nosotros? ¿De qué te quejas? ¿Consideras que somos unos estúpidos? Si lo piensas, yo te digo que no somos mejores, ni peores, que los demás. Pero si lo que procuras es que nos dejemos mangonear por ti, te advierto que cogiste el camino equivocado. ¿Sabes cuánto he sacrificado y cuántas concesiones he hecho para mantener esta casa? ¿Crees que renunciaremos tan fácilmente a nuestros derechos...? Si quieres, vete. Yo misma te prepararé las maletas. Ahí tienes la puerta.

(CUCA *permanece de espaldas al público. Lalo se arrima a la mesa y contempla el cuchillo con indiferencia. Lo coge. Lo acaricia. Lo clava en el centro de la mesa.)*

LALO.—¿Hasta cuándo, hasta cuándo?
BEBA.—No te impacientes.
LALO.—Si fuera posible hoy.
BEBA.—No seas bobo.
LALO.—Nunca más tarde.

(LALO *de un golpe arranca el cuchillo del centro de la mesa. Mira a sus dos hermanas y se precipita hacia el fondo.)*

BEBA.—No lo hagas.
CUCA.—Eso te va a pesar.
BEBA.—Ten cuidado.
CUCA.—*(Canta muy débilmente.)* La sala no es la sala. La sala es la cocina.

(Las dos hermanas están situadas: BEBA, *en el lateral derecho;* CUCA, *en el lateral izquierdo. Ambas a la vez, de espaldas al público, emiten un grito desgarrador. Entra* LALO. *Las hermanas se arrodillan.)*

LALO.—*(Con el cuchillo entre las manos.)* Silencio. *(Las dos hermanas comienzan a cantar en un murmullo apagado: «La sala no es la sala. La sala es la cocina. El cuarto no es el cuarto. El cuarto es el inodoro.»)* Ahora me siento tranquilo. Me gustaría dormir, dormir, siempre dormir... Sin embargo, lo dejaré para mañana. Hoy tengo mucho que hacer. *(El cuchillo se le escapa de las manos y cae al suelo.)* ¡Qué sencillo es, después de todo...! Uno entra en el cuarto. Despacio, en puntillas. El menor ruido puede ser una catástrofe. Y uno avanza, suspendido en el aire. El cuchillo no tiembla, ni la mano tampoco. Y uno tiene confianza. Los armarios, la cama, las cortinas, los floreros, las alfombras, los ceniceros, las sillas te empujan hacia los cuerpos desnudos, resoplando quién sabe qué porquería. *(Pausa. Decidido.)* Por el momento a limpiar la sangre. Bañarlos. Vestirlos. Y llenar la casa de flores. Luego, abrir un hueco muy hondo y esperar que mañana... *(Pensativo.)* ¡Qué sencillo y terrible!

(Las dos hermanas terminan de cantar. CUCA *recoge el cuchillo y lo limpia con el delantal. Pausa larga.)*

CUCA.—*(A* BEBA.) ¿Cómo te sientes?
BEBA.—*(A* CUCA.) Regular.
CUCA.—*(A* BEBA.) Cuesta un poco de trabajo.
BEBA.—*(A* CUCA.) Lo malo es que uno se acostumbra.
CUCA.—*(A* BEBA.) Pero, algún día...
BEBA.—*(A* CUCA.) Es como todo.
LALO.—Abre esa puerta. *(Se golpea el pecho. Exaltado. Con los ojos muy abiertos.)* Un asesino. Un asesino. *(Cae de rodillas.)*
CUCA.—*(A* BEBA.) ¿Y eso?
BEBA.—La primera parte ha terminado.

APAGÓN

Acto segundo

Al abrirse el telón, LALO, *de rodillas, de espaldas, al público, con la cabeza inclinada hacia el vientre.* CUCA, *de pie, mirándolo y riéndose.* BEBA, *impasible, coge el cuchillo que está en la mesa.*

CUCA.—*(A* BEBA.) Míralo. *(A* LALO.) Así quería verte. *(Riéndose.)* Ahora me toca a mí. *(Largas carcajadas.)*
LALO.—*(Imperioso.)* Cierra esa puerta.
CUCA.—*(A* LALO. *Cerrando la puerta.)* ¡Qué insoportable eres! ¡No te resisto, viejo!
BEBA.—*(A CUCA. Mirando a* LALO *con desdén.)* Me parece ridículo.
CUCA.—*(A* LALO.) ¿Qué te pasa? Oiga, jovencito, lo que le voy a decir: tenemos que seguir. No te imagines que esto se va a quedar a medias como otras veces. Estoy cansada de que siempre quede pendiente.
LALO.—*(Cabizbajo.)* Siempre hay que empezar.
CUCA.—Está bien, lo acepto; pero, al mismo tiempo, te repito que hoy...
LALO.—*(Molesto.)* Sí... Lo que tú dispongas.
CUCA.—Lo que yo disponga, no; lo que tiene que ser. ¿O ahora soy yo la inventora de todo esto? ¡Qué gracioso!
BEBA.—*(Molesta. A* CUCA.) Pero a ti te encanta...
CUCA.—*(Ofendida.)* ¿Qué quiere la niña que haga?
BEBA.—Cualquier cosa menos eso.
CUCA.—No, muñeca mía, ha llegado mi hora y tengo que llegar hasta el final.
BEBA.—Entonces, ¿tengo o no tengo razón?

CUCA.—A mí qué me importa.
BEBA.—Pues, me voy.
CUCA.—Tú te quedas.
BEBA.—No me hagas perder la paciencia.
CUCA.—No me amenaces.
BEBA.—Puedo arañar y patear.
LALO.—Está bueno ya de discusión.
CUCA.—*(A* BEBA.) Tú te quedas quietecita.
BEBA.—Ay, ¿sí?, no me digas... ¡A santo de qué!... Yo no me pudriré en estas paredes que odio. Allá ustedes que les gusta revolver los trapos sucios. Tengo veinte años y el día menos pensado me largo para no volver y entonces haré mi santa gana. ¿Cómo te suena...? *(Pausa.)* Al principio hacías asquitos[42] y ahora matarías por lograr tus propósitos. Es como si estuviera en juego la salvación de tu alma. Sí, salvarte... No me mires así. ¿Salvarte, de qué? ¿Acaso tu pellejo? *(Con intención.)* Por eso llamaste a la policía. Por eso también dentro de un tilín[43] empezarán las investigaciones y los interrogatorios. ¿Hizo usted eso? No, no. ¿No lo hizo? Eh, Sargento... ¿Cómo es posible? Sin embargo, encontramos una señal. Ahí están las huellas. El delito ha sido cometido entre ustedes. ¿Consideran que somos unos comemierdas y..., tomarnos el pelo? *(Otro tono.)* ¡En esto no me mezclo!
CUCA.—Tienes que llegar hasta el final.
BEBA.—Que nunca termina.
CUCA.—No desesperes.
BEBA.—Estoy harta. Siempre lo mismo. Dale para aquí. Dale para allá. ¿Por qué continuamos en este círculo...? *(Más íntima.)* Además, aborrezco que me inmiscuyan... *(Otro tono.)* No le veo la gracia.
CUCA.—Lo que dices es pura bazofia[44]. Si no te conociera creería del pe al pa ese miserable discursito. *(Como la madre.)* ¡Buena perla me has salido tú! *(Otro tono.)* ¿Te imagi-

---

[42] «hacías asquitos»; cub.: «hacías melindres.» En la primera versión se lee: «Al principio no querías, ahora eres capaz de matar...»
[43] En la primera versión se lee: «... dentro de unos momentos.»
[44] «es pura bazofia»; cub.: «es pura bobería.»

nas que voy a quedarme con los brazos cruzados viendo lo que éste ha hecho? Yo defiendo la memoria de mamá y papá. Los defenderé, cueste lo que cueste.

BEBA.—No me toques.

CUCA.—*(Autoritaria como la madre.)* Pon el cuchillo en su sitio. (BEBA *obedece dejando caer el cuchillo en el extremo del escenario.)* Así no.

BEBA.—*(Furiosa.)* Hazlo tú.

CUCA.—*(Con sorna.)* Contrólate. *(Otro tono.)* Cada cosa en su sitio. *(Otro tono.)* Todavía falta lo mejor. (BEBA *coloca el cuchillo de una manera satisfactoria.)* Con mucha precaución...

BEBA.—*(Furiosa.)* Conmigo no cuentes.

CUCA.—*(Ordenando mentalmente la habitación.)* Las lámparas, las cortinas... Es cuestión matemática.

BEBA.—*(Furiosa.)* Vete a buscar a otro. O arréglatelas tú sola.

Cuca.—Tú has participado desde el principio. No puedes retractarte.

BEBA.—Ojalá ocurra lo imprevisto.

CUCA.—También cuento con eso. *(A* LALO.*)* Levántate. (LALO *no se mueve.)*

BEBA.—*(Furiosa.)* Déjalo. ¿No ves que sufre? (LALO *emite un leve quejido o ronquido.)*

CUCA.—¡Te entrometes...!

BEBA.—Debías aguardar quizás... Sólo un ratico.

CUCA.—Sé lo que hago.

BEBA.—*(En tono sutil de sarcasmo.)* Me luce perfecto; pero recuerda que yo estoy en guardia, dispuesta en cualquier momento...

CUCA.—*(Rápida, furiosa.)* ¿A qué?

BEBA.—A saltar.

CUCA.—¿No me digas? ¿Así que tú te opones...? Pues, oye bien claro lo que te voy a decir: no pienses que te dejaré intervenir en algo más allá de tu parte. Tú eres un instrumento, un resorte, una tuerca. *(Otro tono.)* ¡Alégrate! *(Otro tono.)* No me saques esa cara. *(Tono amenazador.)* Atente pues a las consecuencias. En esta casa todo está en juego. Ayúdame a dar los últimos toques. *(Moviéndose, disponiendo un sitio para cada objeto. Enumera.)* El florero, el cuchillo, las cortinas, los vasos..., el agua, las pastillas. Dentro de unos minutos entrará la policía... La jeringuilla y las ámpulas... Nosotras nada tenemos que hacer, sino desaparecer..., volatilizarnos, si es necesario. (BEBA *da unos pasos con intención de escabullirse.* CUCA *la detiene.)* No, muñeca linda. No te hagas la boba. Tú me entiendes. *(Frente a* CUCA, BEBA *se contrae.)* ¿Qué? ¿No estás conforme? ¿Quieres meter la cuchareta...?[45]. Nosotras seremos invisibles. ¿Tienes algo que añadir? Nosotras somos inocentes. ¿Pretendes tomar partido? *(A* LALO.) Levántate. Se hace tarde. *(A* BEBA.) ¿Vas a defender lo indefendible? ¿Acaso éste no es un asesino? *(A* LALO.) Componte un poco. Pareces un cadáver. (LALO *se levanta torpemente.* BEBA *instala un paquete de barajas sobre la mesa y luego las esparce. A* BEBA.) Jamás se me hubiera ocurrido semejante detalle.

LALO.—*(Todavía de espaldas al público. A* BEBA.) Tráeme un vaso de agua.

CUCA.—*(Imperiosa.)* No puede ser. *(Acercándose a* LALO, *arreglándole las ropas. Con cierta ternura.)* Tienes que esperar. *(Como la madre.)* Ese cuello, qué barbaridad... Igualito que un pordiosero.

LALO.—Tengo la boca reseca.

BEBA.—*(Como la madre, con evidente ternura.)* Has dormido muy mal.

LALO.—Necesito salir un segundo.

CUCA.—*(Violenta.)* De aquí no sales.

LALO.—¡Necesito...!

CUCA.—No necesitas nada. Todo está dispuesto. ¿Piensas, qué...? ¿Una mala jugada?... Pues no te dejaré.

> (CUCA *detiene a* LALO, *que amaga con escapar. Lo sujeta por el cuello de la camisa. Forcejean violentamente.* BEBA, *de entrada, se paraliza; luego, la lucha entablada va adquiriendo para ella un diabólico interés y da vueltas alrededor de* CUCA *y* LALO)[46].

---

[45] «meter la cuchareta»; cub.: «entremeterse.»

[46] En la primera versión se lee: «(CUCA *intenta detener a* LALO, *que quiere escapar. Lo agarra por el cuello de la camisa. Ambos empiezan a forcejear violentamente.* BEBA, *por un momento queda perpleja; [...] y da vueltas alrededor de* CUCA *y* LALO.)»

LALO.—Suéltame.
CUCA.—Antes muerta.
LALO.—Te engallas.
CUCA.—Arriesga el pellejo.
LALO.—Me arañas.
CUCA.—¡Es el juego! Vida o muerte. Y no escaparás. Soy capaz de todo con tal de que te juzguen.

*(*BEBA *corre hacia el fondo oscuro donde está la puerta.)*

BEBA.—*(Gritando.)* ¡La policía! ¡La policía!

(Los dos hermanos dejan de forcejear. LALO *cae, derrotado, en una silla.* BEBA *permanece junto a la puerta cerrada. En el otro extremo de la puerta, también al fondo, está* CUCA.)

CUCA.—*(Con furia.)* Jamás te perdonaré. Eres culpable. Si tienes que morir, que así sea.
BEBA.—Chist. Silencio. *(Pausa larga.)*

(BEBA *y* CUCA *se mueven con gestos lentos, casi de cámara lenta. Son los dos policías que descubrirán el crimen.)*

CUCA.—*(Como un policía.)* Qué oscuro.
BEBA.—*(Como otro policía.)* Huele mal.
CUCA.—*(Como un policía.)* Manchas de sangre por todas partes.
BEBA.—*(Como otro policía.)* Me luce que han matado a dos puercos, en lugar de cristianos.
CUCA.—*(Como un policía.)* Gente puerca.
BEBA.—*(Como otro policía.)* Gente sin corazón.

(Las dos hermanas avanzan como si estuvieran caminado por una oscura galería. Ruidos de objetos que se desploman a su paso. LALO *se despatarra en la silla. Las hermanas se detienen ante él y enfocan su rostro con una linterna de mano.)*

BEBA.—*(Como otro policía, en señal de triunfo.)* Agarramos al pez.

CUCA.—*(Como un policía, en señal de triunfo.)* Trabajo nos ha costado. *(A* LALO, *con violencia.)* De pie, vamos, rápido. (LALO, *molesto por la luz, se protege con las manos el rostro.)*

BEBA.—*(Como otro policía. Con vulgaridad.)* Eh, chiquito... Si no quieres que te acribille, no te muevas.

CUCA.—*(Como un policía. Con insolencia.)* Vamos, levántese.

BEBA.—*(Como otro policía. Con insolencia. A* CUCA.) Ha caído, mi socio. (LALO, *en pie, levanta las manos.)* Hay que actuar sin dormirse en los laureles.

CUCA.—*(Como un policía.)* Regístralo.

BEBA.—*(Como otro policía.)* El tipo es peligroso. *(Tantea sobre la ropa, el cuerpo, de* LALO.) Los documentos... El carnet de identidad, ¿dónde? *(Saca unos documentos imaginarios.)* ¿Cómo te llamas? (LALO *no contesta.)* Estás detenido. Responde a la justicia. ¿De quién eran esos gritos?

CUCA.—*(Como un policía.)* ¿Mataste a alguien?

BEBA.—*(Como otro policía.)* ¿Por qué tanta sangre?

CUCA.—*(Como un policía.)* ¿Vives con tus padres?

BEBA.—*(Como otro policía.)* ¿Tienes algún hermano o hermana? Contesta.

CUCA.—*(Como un policía.)* Te los llevaste en la golilla. Escupe, que te conviene.

LALO.—*(Vagamente.)* No sé.

BEBA.—*(Como otro policía.)* ¿Cómo que no sabes? ¿Vives solo?

CUCA.—*(Como un policía.)* ¿Y toda esa ropa...? *(Otro tono.)* Déjalo, Cuco. *(Se sonríe.)* Ya tendrá tiempo de hablar.

BEBA.—*(Como otro policía.)* A éste no hay quien lo salve, mi hermano. *(Se ríe. Grosero.)* Un delincuente de marca mayor. Seguramente robó primero; y luego, no satisfecho, decidió matarlos. *(A* LALO.) ¿A tus padres, no?... Casi me lo imagino. ¿Los envenenaste? *(Coge el tubo de pastillas, lo observa y vuelve a colocarlo en la mesa.)* ¿Cuántas pastillas...? (LALO *no responde. Sonríe de vez en cuando.)* Vamos, desembucha... Si hablas, puede que el castigo sea menor. *(A* CUCA, *enseñándole la jeringuilla.)* ¿Has chequeado? Por las trazas...[47].

[47] En la primera versión se lee: «¿Has visto? Es probable que...»

CUCA.—*(Como un policía.)* A todas luces éste es un crimen de los gordos. *(A* LALO.) ¿Dónde están los cadáveres? *(A* BEBA.) No hay rastro alguno...
BEBA.—*(Como otro policía.)* ¿Dónde los escondiste? ¿Los enterraste?
CUCA.—*(Como un policía.)* Registremos la casa de arriba a abajo. Rincón por rincón...
BEBA.—*(Como otro policía.)* ¿Por qué los mataste? Suelta prenda. ¿Te maltrataban?
LALO.—*(Secamente.)* No.
CUCA.—*(Como un policía.)* Ya era hora, muchacho. ¿Por qué los mataste?
LALO.—*(Con aplomo.)* Yo no hice eso.
CUCA.—*(Como un policía.)* Qué descaro.
BEBA.—*(Como otro policía.)* ¿Estaban durmiendo?
CUCA.—*(Como un policía.)* Mayor cinismo, coño... ¿Así que tú no asesinaste a nadie? ¿A tus padres? ¿A tus hermanos? ¿Algún pariente? (LALO *se encoge de hombros.)* Entonces, dime, ¿qué has hecho?
BEBA.—*(Como otro policía.)* ¿Los ahogaste con las almohadas?
CUCA.—*(Como un policía.)* ¿Cuántas puñaladas les diste?
BEBA.—*(Como otro policía.)* ¿Cinco, diez, quince?
CUCA.—*(Como un policía.)* No me dirás que ha sido un juego. Aquí están las manchas de sangre. Tú mismo estás embarrado de pies a cabeza. ¿Te atreverás a negarlo? ¿Rehúsas el interrogatorio? *(Otro tono.)* Yo más o menos he visto el crimen... *(Rápido.)* ¿Dónde están tus padres? ¿Encerrados en un baúl? *(Pausa. Reconstruyendo la escena.)* Tú ibas despacio, en puntillas, para no hacer ruido, en la oscuridad... Tus padres roncando a pierna suelta y tú aguantando la respiración y en la mano el cuhillo que no tiembla...
LALO.—*(Con orgullo.)* Elucubraciones. Usted miente.
CUCA.—*(Como un policía.)* Cabronazo..., tú. *(Agotada.)* Ah, esta casa es un laberinto.
BEBA.—*(Como otro policía, que ha escudriñado por los recovecos de la habitación.)* ¡La prueba! *(Señala hacia el cuchillo.)* Estamos en la pista. *(Se agacha para recogerlo.)*
CUCA.—*(Como un policía, gritando.)* No lo toques.

BEBA.—*(Como otro policía.)* A tomarle las huellas digitales. *(Apuña el cuchillo con un pañuelo y lo sitúa encima de la mesa.)*

CUCA.—*(Como un policía.)* Si éste prosigue jugando cabeza...[48].

BEBA.—*(Como otro policía. Furioso.)* Esto lo resuelvo yo de un plumazo. *(A* LALO.) ¿Te decides a hablar..., o...? No quiero utilizar la violencia. ¿Quiénes te crees que somos nosotros? ¿Piensas que estamos pintados en la pared? *(En tono amenazador y persuasivo a la vez.)* Descose la boca, por la cuenta que te trae. Ya va terminando la hora de las contemplaciones. *(Tono amistoso.)* Habla, total, que es por tu bien. *(Mirando a* CUCA.) Nosotros no lo tomaremos en consideración. No te preocupes. (CUCA *se desplaza por un lateral del escenario, investigando.)* Ya verás lo tranquilo que te sentirás cuando nos lo cuentes todo. Es sencillo, sencillísimo. *(Tono casi familiar.)* ¿Cómo lo hiciste? ¿Por qué? ¿Te maltrataban de palabras o...? ¿No hubo, por azar, un robo o alguna trastada por el estilo? ¿Qué fue lo que pasó? ¿Lo has olvidado? Trata de recordar; reflexiona... Tómate el tiempo que quieras.

LALO.—*(Con gran soberbia.)* Ninguno de ustedes puede comprender...

BEBA.—*(Como otro policía. Persuasivo, con una sonrisa.)* ¿Por qué dices eso?... *(Íntimo.)* Vamos, chico, confiesa...

CUCA.—*(Como un policía. Fuera del escenario. Gritando.)* No te calientes la sangre, Cuco. Aquí está el paquete. *(Entra a escena. Limpiándose las manos, una con la otra.)* ¡Si vieras!... Un espectáculo bochornoso, qué digo, horrible. Se le engrifan los pelos al gallo más pintado. *(Reconstruyendo la escena.)* Ahí están la pala y el azadón... Abrió un hueco enorme. Ignoro cómo pudo hacerlo solo... Y allí, al fondo, los dos cuerpos y un poco de tierra encima. *(Acercándose a* LALO. *Dándole una palmada en el hombro.)* Conque el caballerito no hizo nada. (BEBA *se dirige al mismo lugar por donde salió* CUCA.) Sí, exacto. *(Con una sonrisa de satisfacción.)* El caballerito es inocente. *(Otro tono.)* Pues... *(Lo mira fijamente, con*

[48] En la primera versión se lee: «Si éste sigue negando...»

impertinencia.) El caballerito tiene sus horas contadas. *(Tono vulgar.)* Has firmado tu sentencia, mi hermano.

BEBA.—*(Entrando a escena, dejando de actuar como el otro policía.)* Es espantoso.

CUCA.—*(Como un policía, tono vulgar.)* No te pongas dramático.

BEBA.—Me quedé fría.

CUCA.—*(Como un policía.)* El chiquito se las traquetea.

BEBA.—Sentí un escalofrío.

CUCA.—*(Como un policía. A* BEBA.) Arriba, socio. No te dejes caer. *(A* LALO, *con ínfulas.)* Eres un... Me dan deseos... *(A* BEBA.) A levantar el acta.

BEBA.—¿Cómo...? Pero si no ha confesado.

CUCA.—*(Como un policía.)* No es necesario.

BEBA.—Yo creo que sí.

CUCA.—*(Como un policía.)* Hay pruebas suficientes.

BEBA.—Debemos intentarlo... *(Aproximándose a* LALO.) Lalo, es urgente que digas, que hables. ¿Por qué? ¿Por qué, Lalo?

CUCA.—*(Como un policía, a* BEBA.) ¡Te ablandas!

BEBA.—*(A* LALO, *suplicante.)* ¿No comprendes que es un requisito, que es importante la confesión? Di lo que quieras, lo que se te ocurra, aunque no sea lógico, aunque sea un disparate; di algo, por favor. (LALO *permanece impenetrable.)*

CUCA.—*(Como un policía.)* A la Estación. El acta. El informe... *(Con pasos graves,* BEBA *se dirige a la mesa y se sienta.)*

(La escena, a partir de este momento, adquirirá una dimensión extraña. Los elementos que se emplean en ella son: los sonidos vocales, los golpes sobre la mesa y el taconeo acompasado, primero de BEBA, *y luego de los dos personajes* (BEBA *y* CUCA), *en el escenario. Aprovéchense estos recursos hasta el máximo.)*

CUCA.—*(Dictando automáticamente.)* En el local de esta Estación de Policía, y siendo...

BEBA.—*(Moviendo las manos sobre la mesa, repite automáticamente.)* Tac-tac-tac-tac. Tac-tac-tac-tac. Tac-tac-tac-tac. Tac-tac-tac-tac.

CUCA.—*(Tono anterior)*..., ante el Sargento de Carpeta que suscribe, se presentan el Vigilante número 421 Cuco de Tal y el Vigilante número 842 Bebo Mascual conduciendo al ciudadano que dice nombrarse...

BEBA.—*(En la forma anterior.)* Tac-tac-tac-tac. Tac-tac-tac-tac. Tac-tac-tac-tac. (CUCA *mueve los labios continuando el dictado.)* Tac-tac-tac-tac.

CUCA.—*(En el tono anterior.)* Manifiestan los dos vigilantes a un mismo tenor que: «Encontrándose de recorrido por la zona correspondiente a su posta...»

BEBA.—*(Golpeando con las manos la mesa, repitiendo automáticamente, con gran sentido rítmico.)* Tac-tac-tac-tac. Tac-tac-tac-tac. Tac-tac-tac-tac. Tac-tac-tac-tac. (CUCA *mueve los labios continuando el dictado.)*

CUCA.—*(En el tono anterior)*..., escuchara voces y un gran escándalo...

BEBA.—*(En la forma anterior.)* Tac-tac-tac-tac. Tac-tac-tac-tac. Tac-tac-tac-tac. Tac-tac-tac-tac.

CUCA.—*(En el tono anterior)*..., que reñían, que discutían, que se lamentaban...

BEBA.—*(En la forma anterior.)* Tac-tac-tac-tac. Tac-tac-tac-tac. Tac-tac-tac-tac. Tac-tac-tac-tac.

CUCA.—*(En el tono anterior)*..., y habiendo escuchado un grito de socorro...

BEBA.—*(Golpeando con las manos sobre la mesa, taconeando y repitiendo con gran sentido rítmico, automáticamente.)* Tac-tac-tac-tac. Tac-tac-tac-tac. (CUCA *repite su gestualidad.)* Tac-tac-tac-tac.

CUCA.—*(En el tono anterior)*..., que al entrar en la susodicha habitación...

BEBA.—*(En la forma anterior.)* Tac-tac-tac-tac. Tac-tac-tac-tac-tac.

CUCA.—*(En el tono anterior)*..., dos cuerpos que presentaban...

BEBA.—*(En la forma anterior.)* Tac-tac-tac-tac.

CUCA.—*(En el tono anterior)*..., contusiones y primeras heridas de primer grado...

BEBA.—*(En la forma anterior.)* Tac-tac-tac-tac.

(CUCA *empieza a golpear sobre la mesa, a repetir, como* BEBA, *el taconeo y el tecleo oral, hasta que la escena alcanza un breve instante de delirio. Pausa.* CUCA *y* BEBA *vuelven a su actitud aparentemente normal.* CUCA *le muestra un papel a* LALO.)

CUCA.—*(Autoritaria.)* Firme aquí.

(Pausa. LALO *mira el papel. Mira a* CUCA. *Coge el papel con desfachatez. Lo observa detenidamente.)*

LALO.—*(Colérico, seguro, desafiante.)* No acepto. Me entienden. Todo esto es una porquería. Todo es una infamia. *(Pausa. En otro tono, burlón.)* Me parece magnífico, admirable, que así, de buenas a primeras, ustedes traten, proyectando sus pasiones más despreciables, de hacerme un interrogatorio. Es lógico. Es casi..., diría, natural. Pero, ¿qué se proponen? ¿Piensan que voy a firmar ese mamotreto de mierda? ¿Eso es la ley? ¿Eso es la justicia? ¿Qué saben ustedes de todo eso? *(Gritando. Rompe el acta.)* Basura, basura, basura. Eso es lo digno. Eso es lo ejemplar. Eso es lo respetable. *(Patea y pisotea los papeles rotos. Pausa. Otro tono. Con una sonrisa amarga y con lágrimas en los ojos.)* Es muy simpático, muy digno, muy ejemplar que ustedes ahora digan culpable. Y ya. Basta, a otro asunto. Pero que armen este reperpero...[49]. *(A* CUCA.) ¿No le satisface lo que ha pasado? ¿Por qué pretende endilgarme una serie de invenciones, sin ton ni son? ¿Qué partido sacará...? ¿O cree o se imagina que soy bobo de remate? *(En una burla simiesca.)* Ay, estoy muerto de miedo. Pues, no. No tengo miedo. (BEBA *agita la campanilla.)* Soy culpable. Sí, culpable. Júzgueme. Haga lo que quiera. Estoy en sus manos. (BEBA *vuelve a mover la campanilla como un juez.* LALO, *en otro tono, menos violento, pero con una actitud arrogante.)* Si el señor juez me permite...

BEBA.—*(Como un juez.)* Ruego al público que mantenga la debida compostura y silencio, o de lo contrario, tendré que desalojar la sala y reanudar las sesiones a puertas cerradas. *(A* CUCA.) Tiene la palabra el señor fiscal.

---

[49] En la primera versión se lee: «pero que hagan lo que hacen». «Armar el reperpero»; cub.: «armar un disloque, un barullo con desorden.»

CUCA.—*(A* BEBA.) Muchas gracias, señor juez. *(A* LALO.) El señor procesado conoce las dificultades con que hemos tropezado desde el inicio para el esclarecimiento de los sucesos acaecidos en la nefasta madrugada..., del... (BEBA *agita la campanilla.)*

BEBA.—*(Como un juez.)* Ruego, al señor fiscal, sea más explícito, y concrete al formular su exposición.

CUCA.—*(Como un fiscal.)* Perdone, señor juez, pero...

BEBA.—*(Moviendo la campanilla.)* Le ruego al señor fiscal que se atenga exclusivamente al interrogatorio.

CUCA.—*(Como un fiscal. A* BEBA.) Señor juez, el procesado, durante el interrogatorio anterior, se ha servido de una cantidad sorprendente de evasivas, lo que hace imposible el intento de aclarar...

BEBA.—*(Como un juez. A* CUCA. *Golpeando fuertemente la mesa.)* Aténgase al cuestionario de orden.

CUCA.—*(Como un fiscal. Solemne.)* Le repito al señor juez que el procesado obstaculiza sistemáticamente toda tentativa de esclarecer la verdad. Por tal motivo, someto a la consideración de la sala las siguientes preguntas: ¿puede y debe burlarse a la justicia? ¿La justicia no es la justicia? ¿Si podemos burlarnos de la justicia, es la justicia otra cosa y no la justicia?... En realidad, señores de la sala, ¿tendremos que ser clarividentes?

BEBA.—*(Como un juez. Implacable, golpeando la mesa.)* Exijo al señor fiscal que no se extralimite en sus funciones.

CUCA.—*(Como un fiscal, alardeando ante el público de sus recursos teatrales.)* Ah, señoras y señores, el señor procesado, como todo culpable, teme que el peso de la justicia...

LALO.—*(Furioso, pero conteniéndose.)* Estás haciendo trampas. Te veo venir. Quieres hundirme, pero no podrás.

CUCA.—*(Como un fiscal. Solemne y furioso. A* BEBA.) Señor juez, el procesado está actuando de una manera irreverente. En nombre de la justicia exijo la compostura adecuada. ¿Qué procura el procesado? ¿Crear el desconcierto? Si ése es su propósito, tenemos que calificarlo abiertamente de intolerable. Los oficios de la ley y de la justicia mantienen un tono lógico. Nadie puede quejarse de sus métodos. Están hechos a la medida del hombre. Pero el procesado, a lo que intuyo, no entiende, o no quiere entender, o es probable que en su ánimo existan zonas turbias..., o tal vez, prefiera esconderse, agazaparse en los subterfugios de la tontería y la agresividad. Demando que cada uno de los integrantes de este jurado y la sala en general tenga una clara conciencia de su actitud y que a la hora de emitirse el veredicto seamos equilibrados, pero al mismo tiempo implacables. Señoras y señores, el procesado, por su parte declara desenvueltamente su culpabilidad; es decir, afirma haber matado. Este hecho rebasa los límites de la naturaleza y adquiere una dimensión exasperante, para el ciudadano normal que transita las calles de nuestra ciudad; por otro lado, el procesado niega, claro que de una forma indirecta, y desvía la sucesión encadenada de los hechos, empleando las más disímiles argucias: contradicciones, banalidades y expresiones absurdas. Como por ejemplo: no sé; quizás; puede ser; sí y no. ¿Esa es una respuesta? O también el manido recurso de: «Si yo tuviera clara conciencia de las cosas...» Esto es inadmisible, señores del jurado. *(Avanza hacia el primer plano, con gran efecto de teatralidad.)* La justicia no puede detenerse pasivamente ante un caso semejante, donde toda la abyección, la malevolencia y la crueldad se reúnen. He aquí, señoras y señores, al más repugnante asesino de la historia. Vedlo. ¿No siente repulsión cualquier criatura frentre a este detritus, frente a esta rata nauseabunda, frente a este escupitajo deleznable? ¿No se siente la necesidad del vómito y del improperio? ¿Puede la justicia cruzarse de brazos? Señoras y señores, señores del jurado, señores de la sala, ¿podemos aceptar que un sujeto de tal especie comparta nuestras ilusiones y nuestras esperanzas? ¿Acaso la humanidad, es decir, nuestra sociedad, no marcha hacia el progreso resplandeciente, hacia una alborada luminosa? (LALO *balbucea algo, pero el torrente oratorio de* CUCA *le impide actuar, gesticular o hablar.)* Vedlo, indiferente, imperturbable, ajeno a un sentimiento de ternura, comprensión o piedad. Ved ese rostro. *(En un grito.)* Un rostro impasible de asesino. El procesado desmiente haber cometido el asesinato por dinero, en otras palabras, para robar, o para convertirse en el usufructuario de la pequeña pensión de sus padres. ¿Por qué mató, entonces? Porque, en realidad, no existe ningún móvil concluyente. ¿Tendremos que convenir en que fue por odio? ¿Por venganza? ¿Por puro sadismo? *(Pausa.* LALO *se mueve impaciente en su silla.* CUCA, *en un tono mesurado.)* ¿Puede la justicia admitir que un hijo mate a sus padres?

LALO.—*(A* BEBA.) Señor juez..., yo quisiera, yo desearía...

CUCA.—*(Como un fiscal.)* No, señores del jurado. No, señores de la sala. Mil veces no. La justicia no puede consentir tamaño desacato. La justicia impone la familia. La justicia ha creado el orden. La justicia vigila. La justicia exige las buenas costumbres. La justicia salvaguarda al hombre de los instintos primitivos y corruptores. ¿Podemos tener piedad de un tipejo[50] que viola los principios naturales de la justicia? Yo pregunto a los señores del jurado, yo pregunto a los señores de la sala: ¿Es que existe la piedad? *(Pausa.)* Pero nuestra ciudad se levanta, una ciudad de hombres silenciosos y arrogantes avanza decidida a reclamar a la justicia el cuerpo de este ser monstruoso... Y será expuesto a la furia de hombres verdaderos que anhelan la paz y el sosiego. *(En tono grandilocuente.)* Por lo tanto exijo al procesado que contribuya a poner orden en el conocimiento de la realidad de los hechos. *(A* LALO.) ¿Por qué mató a sus padres?

LALO.—Yo quería vivir.

CUCA.—*(Violenta.)* ¿Ésa es una respuesta? *(Rápida.)* ¿Cómo lo hizo? ¿Les dio algún brebaje, un tóxico, primero? ¿O los ahogó entre las almohadas, sabiendo que estaban indefensos, y después los remató? ¿Cómo puso las almohadas? ¿Qué papel juegan esta jeringuilla y estas pastillas? ¿Son por casualidad pistas falsas? Explique usted, señor procesado. *(Pausa.)* ¿Los mató a sangre fría, planeando paso a paso los detalles del crimen, o fue en un rapto de violencia? Diga usted. ¿Solamente empleó este cuchillo? *(Agotada.)* En fin, señor procesado, ¿por qué los mató?

LALO.—Yo me sentía perseguido, acosado.

CUCA.—*(Como un fiscal.)* ¿Perseguido, por qué? ¿Acosado, por qué?

LALO.—No me dejaban tranquilo un minuto.

CUCA.—*(Como un fiscal.)* Sin embargo, los testigos presentes confiesan...

---

[50] En la primera edición se lee: «¿Podemos tener piedad de una criatura que...»

LALO.—*(Interrumpiendo.)* Los testigos mienten...

CUCA.—*(Como un fiscal. Interrumpiendo.)* ¿Echa usted abajo la declaración de los testigos?

LALO.—*(Firme.)* Esa noche no hubo nadie presente.

BEBA.—*(Como un juez. A* LALO.) El procesado debe ser exacto en sus respuestas. Es fundamentalmente necesario. ¿Es cierto eso que acaba de afirmar?... El tribunal exige veracidad y concreción. El tribunal aguarda que el procesado acate, en el mejor sentido, estas exigencias de orden... Tiene la palabra el señor fiscal.

CUCA.—*(Como un fiscal.)* ¿Y sus familiares más allegados...? ¿Su abuela, por ejemplo, sus tías..., sus parientes? ¿Se veían frecuentemente? ¿Qué tipo de relación mantenían con ellos?

LALO.—No teníamos ninguna.

CUCA.—*(Como un fiscal.)* ¿Por qué?

LALO.—Mamá odiaba a la familia de papá y papá no se llevaba con la familia de mamá.

CUCA.—*(Como un fiscal.)* ¿No exagera el procesado en estos cargos?

LALO.—Ningún pariente nos visitaba... Mamá nunca quiso que vinieran a casa. Decía que eran hipócritas y envidiosos, que antes la debacle[51]. Papá pensaba lo mismo de los hermanos y primos y cuñados de mamá... Tampoco dejaban que los visitáramos.

CUCA.—*(Como un fiscal.)* Eso no parece tener mucho fundamento. ¿Por qué...?

LALO.—Nos repetían que nosotros valíamos más, que toda esa gente era baja, que no tenía condición...

CUCA.—*(Como un fiscal.)* Pero usted, ¿nunca intentó establecer una relación, un contacto...?

LALO.—Una vez lo hice, pero me salió mal...

CUCA.—*(Como un fiscal.)* ¿Conoce usted a la testigo señora Angelita... *(Al público.)* Su nombre, por favor. Gracias. ¿A la testigo señora Ángela Martínez?

LALO.—Sí.

CUCA.—*(Como un fiscal.)* Estuvo en su casa, ¿antes o después de los hechos?

[51] En la primera edición se lee: «... que antes, muerta.»

LALO.—Antes. *(Pausa.)* Serían las seis de la tarde.

CUCA.—*(Como un fiscal.)* Ella, en sus declaraciones, insiste en que ustedes jugaban de una manera especial... ¿Qué tipo de juego? *(Pausa.)* ¿No había en él algo..., enfermizo? *(Pausa.)* Responda: ¿no era un juego monstruoso?

LALO.—*(Impávido.)* Pudiera ser[52].

CUCA.—*(Como un fiscal.)* Sus padres, según tengo entendido, se quejaban...

LALO.—Toda la vida, desde que tengo uso de razón, oí siempre las mismas quejas, los mismos sermones, la misma cantaleta[53].

CUCA.—*(Como un fiscal.)* Habría alguna razón.

LALO.—A veces sí, a veces no... Una razón machacada hasta el infinito se convierte en una sinrazón.

CUCA.—*(Como un fiscal.)* ¿Eran sus padres tan exigentes?

LALO.—No entiendo.

CUCA.—*(Como un fiscal.)* La pregunta es la siguiente: ¿qué tipo de relación tenía usted con sus padres?

LALO.—Creo haberlo dicho ya: me pedían, me exigían, me vigilaban.

CUCA.—*(Como un fiscal.)* ¿Qué pedían? ¿Qué exigían? ¿Qué vigilaban?

LALO.—*(Angustiado.)* No sé. No sé. *(Repitiendo. Automáticamente.)* Lava los platos, lava los manteles, lava las camisas. Limpia el florero, limpia el orinal, limpia los pisos. No duermas, no sueñes, no leas. No sirves para nada.

CUCA.—*(Como un fiscal.)* ¿Creen los señores del jurado y los señores de la sala que ésos sean motivos capaces de provocar tal enajenación que un individuo se sienta impelido por ellos al asesinato?

LALO.—*(Balbuceante.)* Yo quería...

CUCA.—*(Como un fiscal.)* ¿Qué quería usted? *(Pausa.)* Responda.

LALO.—*(Sincero.)* La vida.

CUCA.—*(Como un fiscal. Con sarcasmo.)* ¿Le negaban sus padres la vida? *(Al público.)* ¿No es ésa una evasiva del procesado?

---

[52] En la primera versión se lee: «*(Firme)* No sé.»

[53] «cantaleta»; cub.: «gritería.»

LALO.—*(Apasionado.)* Yo quería, anhelaba, deseaba desesperadamente hacer cosas por mí mismo.

CUCA.—*(Como un fiscal.)* ¿Sus padres se oponían?

LALO.—*(Asentado.)* Sí.

CUCA.—*(Como un fiscal.)* ¿Por qué?

LALO.—Decían que yo no tenía dos dedos de frente, que era un vago, que jamás podría hacer algo de valor y provecho.

CUCA.—*(Como un fiscal. Con mucha parsimonia.)* ¿Qué cosas eran las que usted deseaba realizar? ¿Quiere explicarse el procesado?

LALO.—*(Atormentado, esforzándose, un poco confundido.)* Es muy difícil... Era algo. ¿Sabe usted? Algo. ¿Cómo podré decirlo?... Yo sé que existe, que está ahí; pero soy incapaz ahora. (CUCA *se sonríe con malvada intención.)* Mire..., el problema es... *(Balbucea incoherencias.)* es que... yo... *(Otro tono.)* Yo trataba, por todos los medios, de complacerlos... Un día cogí una pulmonía... No, para qué, qué gano..., yo... *(Rotundo.)* Todo me salía mal. Yo no deseaba que fuera así; pero nada podía hacer fatalmente; y entonces...

CUCA.—*(Como un fiscal.)* Entonces, ¿qué...?

LALO.—Me gritaban, me golpeaban, me castigaban; horas interminables en un cuarto oscuro; me repetían una y mil veces que debía morir, que estaban esperando que me fuera de casa para ver si me moría de hambre, para ver qué iba a hacer.

CUCA.—*(Con una sonrisa cínica.)* ¿Está usted seguro de lo que dice?

LALO.—Naturalmente.

CUCA.—*(Como un fiscal. En otro tono.)* Hable, hable. Prosiga.

LALO.—Yo era muy desgraciado.

CUCA.—*(Como un fiscal.)* Argumentos, argumentos...

LALO.—La casa se me caía encima. Yo notaba que la casa se iba derrumbando, a pesar de que mis padres no se dieran cuenta, ni mis hermanas, ni los vecinos.

CUCA.—*(Como un fiscal.)* Asimilo mal... ¿Qué se esfuerza en exponer justamente?

LALO.—Aquellas paredes, aquellas alfombras, aquellas cortinas y las lámparas y el sillón donde papá dormía la siesta y la cama y los armarios y las sábanas..., todo eso lo odiaba, quería que desapareciera.

CUCA.—Usted odiaba todo eso. Y a sus padres, por supuesto, también, ¿no es así?
LALO.—*(Abstraído.)* O tal vez lo mejor era huir. Sí, irme a cualquier parte: al infierno o a la Cochinchina.
CUCA.—*(Como un fiscal. Exagerando el tono declamatorio.)* Señores del jurado, señores de la sala...
LALO.—*(Prosigue, como hipnotizado.)* Un día, jugando con mis hermanas, de repente, descubrí...
CUCA.—*(Como un fiscal. Con súbito interés por la divagación de* LALO.) ¿Qué descubrió?
LALO.—*(En el tono anterior.)* Estábamos en la sala; no, miento... Estábamos en el último cuarto. Jugábamos... Es decir, representábamos... *(Sonríe como un idiota.)* A usted le parecerá una bobería, sin embargo... Yo era el padre. No, mentira. Creo que en ese momento era la madre. ¡Todo un juego!... *(Otro tono.)* Pero, allí, en ese instante, llegó hasta mí esa idea... *(Vuelve a sonreír como un idiota.)*
CUCA.—*(Como un fiscal. Con creciente interés.)* ¿Qué idea?
LALO.—*(Con la misma sonrisa.)* Es muy fácil, y resulta complicado. Uno no sabe realmente si dice lo que siente. Yo... *(Mueve las manos, tratando de explicarse en ese movimiento.)* Yo sabía que lo que los viejos me ofrecían no era, no podía ser la vida. Entonces, me dije: «Si quieres vivir tienes que...» *(Se detiene, hace gesto de apuñalear, o crispar los puños triturando algo.)*
CUCA.—*(Como un fiscal.)* ¿Qué sintió? Explíquese.
LALO.—*(Como un bobo.)* Confuso y revuelto, imagínese usted.
CUCA.—*(Como un fiscal.)* ¿Sintió miedo?
LALO.—De repente, creo que sí.
CUCA.—*(Como un fiscal.)* ¿Y luego?
LALO.—Luego, no.
CUCA.—*(Como un fiscal. Otro tono. Un poco irónico.)* ¿Se acostumbró a la idea?
LALO.—Me acostumbré.
CUCA.—*(Como un fiscal. Reacciona violentamente.)* ¿Cómo? *(Dando un golpe sobre la mesa.)* Esto es inaudito, señores de la sala.
LALO.—Sí, me acostumbré. *(A medida que avanza en el monólogo se irá transformando.)* Parece terrible, aunque... Yo no la

deseaba ni me gustaba; pero la idea me daba vueltas, llegaba y se iba, y volvía otra vez. Al principio quise borrarla..., ¿usted me comprende...? Y ella insistía: «Mata a tus padres. Mata a tus padres.» Creí que iba a enloquecer, le aseguro que sí. Corría y me metía en la cama y me entraban unas calenturas... Sí, tuve fiebre. Pensé que me desinflaría como un globo, que reventaba, que era el diablo quien me hacía señas; y temblaba entre las sábanas... Si usted supiera... No dormía; noches y noches en vela. Tenía escalofríos... Y era espantoso porque vi que la muerte se me acercaba, poco a poco, detrás de la cama, entre las cortinas y entre las ropas del armario y se convirtió en mi sombra y me susurraba entre las almohadas: «Asesino», y luego desapareció como por encanto; y me ponía delante del espejo y contemplaba a mi madre muerta en el fondo de un ataúd y a mi padre ahorcado que se reía y me gritaba; y por las noches sentía las uñas de mi madre en las almohadas, arañándome. *(Pausa.)* Todas las mañanas sufría al despertarme: era como si yo me levantara de la muerte abrazado a dos cadáveres que me perseguían en sueños. Por momentos estaba tentado..., pero, no..., ¿irme de la casa?, ¡ni pensarlo! Ya sabía a lo que estaba sometido..., siempre tuve que regresar y siempre decía que no lo volvería a hacer. Ahora estaba decidido a no reincidir en esa loca aventura... ¡Todo, menos eso! Entonces se me metió en la cabeza que arreglaría la casa a mi manera, disponer... La sala no es la sala, me decía. La sala es la cocina. El cuarto no es el cuarto. El cuarto es el inodoro. *(Pausa.)* ¿Qué hacer? Si no era esto, debía destruirlo todo, todo; porque todos eran cómplices y conspiraban contra mí y sabían mis pensamientos. Si me sentaba en una silla, la silla no era la silla, sino el cadáver de mi padre. Si cogía un vaso de agua, sentía que tenía entre las manos el cuello húmedo de mi madre muerta. Si jugaba con un florero, caía de pronto un enorme cuchillo al suelo. Si limpiaba las alfombras, jamás terminaba, porque se agigantaba un duro coágulo de sangre. *(Pausa.)* ¿No ha percibido usted alguna vez algo parecido? Y me ahogaba, me ahogaba. No sabía dónde estaba ni qué significaba aquel desbarajuste. ¿A quién contarle estas cosas? ¿Podía confiar en alguien? Estaba metido en un hoyo y era imposible escapar... *(Pausa.)* Si bien tenía la peregrina idea de que podría salvarme... No sé de qué... Quizás, bueno, hablo por hablar... Uno quiere explicarse y casi..., por lo regular, se equivoca... A lo mejor yo quería salvarme de aquel ahogo, de aquel encierro... Poco después, paulatinamente, esto se fue transformando. Oí un día una voz clara, definida, potente, que nunca antes había escuchado, sin saber de dónde salía..., y que se disolvía en chasquidos de látigos y de cáscaras de huevo pisoteadas. Si esto me estaba ocurriendo, era algo grave, extraño, desconocido para mí y debía hablarlo, porque, no cabía duda que inesperada, vendría una catástrofe..., y tampoco me fiaba en mis fuerzas..., y si me franqueaba..., no... Nadie comprendería. Se reirían, se burlarían. Y al llegar a este punto oía las carcajadas y los chistes de mis hermanas por los cuartos y los corredores y en los patios de la casa... Y junto a las carcajadas y chistes de mis hermanas, miles de voces repetían al unísono: "Mátalos», «mátalos». No crea que es un cuento chino. Se lo juro, la verdad. Sí, la verdad... *(Como un iluminado.)* Desde entonces conocí cuál era mi camino y fui descubriendo que las alfombras, la cama, los armarios, el espejo, los floreros, los vasos, las cucharas y mi sombra, en un murmullo, reclamaban: «Mata a tus padres.» *(En un éxtasis musical.)* «Mata a tus padres.» La casa entera, todo, me exigía ese acto heroico. *(Pausa.)*

CUCA.—*(Violenta.)* Me voy. Estás jugando sucio[54].

LALO.—Hay que llegar hasta el final.

CUCA.—No puedo permitirte...

LALO.—Tú también has tratado de aprovecharte.

CUCA.—Lo que has hecho es imperdonable. Cada uno a su parte; fue lo convenido.

LALO.—¿No me digas? Y tú, por si las moscas...

BEBA.—*(Como un juez. Agitando la campanilla.)* ¡Orden! ¡Silencio! Pido a los señores de la sala que guarden la debida compostura...

CUCA.—*(Como la madre. A* BEBA.*)* Sargento de Carpeta, perdone usted mi atrevimiento; pero yo deseo que se realice

[54] «Estás jugando sucio»; cub.: «hacer trampas.»

una investigación a fondo, desde el principio. Exijo una revisión en masa y coma por coma del proceso. Por eso he venido aquí. Yo voy a declarar. Mi hijo se presenta como una víctima y es todo lo contrario. Reclamo que se haga justicia en nuestro caso. (BEBA *comienza a repetir el tac-tac de la maquina de escribir. Exagerando.)* Si usted supiera la vida que nos ha hecho pasar esta criatura. Es algo tan terrible, tan...

BEBA.—*(Como el sargento. A* CUCA.) Hable usted...

LALO.—*(Casi fuera de situación.)* Mamá, yo... (LALO, *acorralado.)* Yo..., te juro...

CUCA.—*(Como la madre.)* No me jures nada. Te quieres pasar por bobo, pero conozco tus artimañas, tus rejuegos, tus porquerías. Por algo te parí. Nueve meses de mareos, vómitos, sobresaltos. Ése fue el anuncio de tu llegada... ¡Engatusarme a mí, muchacho...! ¿A qué vienen esos juramentos? ¿Crees que has conmovido al público y que podrás salvarte? Dime, ¿de qué? *(Sonríe. Con gran desparpajo)*[55]. ¿En qué mundo vives, mi hijito? *(Burlándose.)* ¡Oh, ángel mío, me das pena! Verdaderamente eres, bueno, un que para qué... *(A* BEBA.) ¿Sabe usted, Sargento? Un día se le metió entre ceja y ceja que debíamos arreglar la casa a su antojo... Yo, al oír aquel disparate, me opuse terminantemente. Su padre puso el grito en el cielo. Pero ¿qué cosa...? Ay, usted no se imagina... El cenicero encima de la silla. El florero en el suelo. ¡Qué horror! Y luego se ponía a cantar a todo meter, corriendo por la casa: «La sala no es la sala. La sala es la cocina.» Yo, por los santos cielos, me hacía la sorda, como si oyera llover. *(Otro tono. Dura, seca.)* Has contado sólo la parte que te interesa... ¿Por qué no cuentas lo demás? *(Otro tono, de burla.)* Has contado tu martirologio, cuenta el nuestro, el de tu padre y el mío. Me gustaría que refrescaras la memoria. *(Transformándose.)* Señor juez, si usted supiera las lágrimas que he derramado, las humillaciones que he recibido, las horas de angustia, los sacrificios... Ah, estas manos... Dan grima. *(Con lágrimas en el rostro.)* Mis manos... Si usted las hubiera visto antes de casarme... Y todo lo he per-

[55] *«Sonríe con gran desparpajo»;* cub.: «se ríe groseramente.»

dido: mi juventud, mi alegría, mis distracciones. Todo lo he sacrificado por esta fiera. *(A* Lalo.) ¿No te avergüenzas? ¿Sigues creyendo que has realizado un acto heroico? *(Con asco.)* Miserable. No sé cómo pude tenerte tanto tiempo en mis entrañas. No sé cómo no te ahogué cuando naciste. (Beba *agita la campanilla.)*

Lalo.—Mamá, yo...

Cuca.—*(Como la madre.)* ¡Nada! No mereces el pan que te damos. No mereces cada uno de mis sufrimientos... Porque tú eres el culpable. El único culpable.

Lalo.—*(Violento.)* Déjame ya, chica.

Cuca.—*(Como la madre. Violenta.)* Me estoy poniendo vieja. Eso debes analizarlo y sacrificarte. ¿Piensas que yo no tengo derecho a vivir? ¿Piensas que me pasaré la vida en una continua agonía? Tu padre no se ocupa de mí y tú requetemenos. ¿A dónde voy a parar? Sí ya sé que están esperando a que me muera, pero no les daré ese gustazo. Lo gritaré a los vecinos, a la gente que pasa. Ya verás. Ésa será mi venganza. *(Gritando.)* Auxilio. Socorro. Me están matando. *(Estalla en sollozos.)* Soy una pobre vieja que se muere de soledad. (Beba *agita la campanilla.)* Sí, señor juez, estoy encerrada entre cuatro paredes sucias. No veo la luz del sol. Mis hijos no tienen consideración. Estoy ajada[56], marchita... *(Como si estuviera delante de un espejo, que es el público. Se acaricia la cara y termina golpeándola)*[57]. Estas arrugas. *(Señala las líneas de las arrugas, con rencor y desprecio.)* Estos pellejos. *(A* Lalo.) Así los tendrás algún día. Ay, lo único que deseo es que les pase lo mismo que a mí. *(Arrogante.)* Yo por los cuatro costados he sido una mujer justa.

Lalo.—*(Un tanto burlón.)* ¿Estás segura? Piénsalo bien, mamá.

Cuca.—*(Como la madre.)* ¿Qué dices? ¿Qué pretendes?

Lalo.—*(Sarcástico.)* Que sé que mientes. Que una vez me acusaste...

Cuca.—*(Como la madre. Indignada. Lo interrumpe con un grito.)* ¡Lalo! *(Pausa. con suavidad.)* Lalo, ¿serías capaz de afir-

---

[56] «ajada»; cub.: «marchita.»

[57] En la primera versión se lee: «*(Como si estuviera delante de un espejo. Comienza acariciando su rostro y termina golpeándolo.)*»

mar...? *(Pausa. Nuevamente irritada.)* ¡Esto es el colmo! Señor juez... *(Lloriqueando.)* Ay, Lalo... *(Limpiándose las lágrimas con las manos.)* ¿Que yo, Lalo...? *(Con una duda evidente.)* Tú crees que yo... ¿Será posible, hijo? *(Con una débil sonrisa.)* Oh, perdone, señor juez... Es probable que sí... De menos nos hizo Dios... Pero, vamos, fue una sanaquería[58]. *(Ríe groseramente.)* Yo estaba encaprichada en tener un vestido de tafetán rojo, precioso. Un vestido que se exhibía en la vidriera del Nuevo Bazar. Mi marido ganaba noventa pesos. Figúrese usted... Había que hacer milagros todos los meses para poder sobrevivir. Y yo tenía que arar con esos bueyes. Noventa pesos del Ministerio, señor juez, y punto. Pues, como le iba diciendo... Yo estaba desesperada, loca, por aquel vestido. Soñaba con él... Lo veía hasta en la sopa. En fin, un día, sin más ni más, decidí sacar el vestido del dinero de la comida. Y entonces inventé una historia.

BEBA.—*(Como un juez.)* ¿Qué historia?

CUCA.—*(Como la madre. Con desparpajo.)* Cuando Alberto llegó... Vino borracho como acostumbra... Le dije: «Oye viejo, pregúntale a tu hijo...» *(Se acerca a* BEBA *para secretear.)* «Porque creo que nos ha robado.»

BEBA.—*(Como el juez.)* ¿Por qué lo hizo?

CUCA.—*(Como la madre. Con ordinariez.)* ¡Quién sabe!... Era más cómodo... *(Termina de hacer la historia, exagerando.)* Alberto cogió una soga y no quiera usted saber la entrada de golpes que le dio al pobrecito Lalo... En realidad, era inocente; aunque... ¡Yo quería tanto aquel vestido rojo! *(Cerca de* LALO.) ¿Me perdonas, hijo mío?

LALO.—*(Hermético.)* Quién soy para perdonarte.

CUCA.—*(Como la madre. Histérica.)* Respétame, Lalo. *(Tono dramático.)* No soy la de antes. Estoy gorda, fea... ¡Ay, este cuerpo!

LALO.—Deja de pensar en eso.

CUCA.—*(Como la madre.)* Te digo que me respetes.

LALO.—Sólo estaba bromeando.

CUCA.—*(Como la madre. Dura, imperativa.)* No me vengas con bromitas. Tu padre es un viejo que anda corriendo como

---

[58] Expresión cubana. En la primera edición se lee: «fue una bobería».

un loco detrás de algo que no existe. Igual que tú. Que te sirva de ejemplo. Echándoselas «del que todo lo puede» y en realidad es una basura... Una porquería. No sirve para nada. Siempre ha sido un Don Nadie. Ha vivido del cuento y pretende seguir haciéndolo. A veces he deseado que se muera. ¿Por qué tuve que amarrarme a un hombre que nunca me ha ofrecido una vida distinta?... *(Pausa. Otro tono.)* Si no fuera por mí, señor juez, esta casa se hubiera derrumbado, señor juez... Sí, por mí, por mí...

LALO.—*(Como el padre. Con voz potente, terrible.)* Ella miente, señor juez.

CUCA.—*(Como la madre. A* LALO.) ¡Cómo te atreves!

LALO.—*(Como el padre. A* BEBA.) Es cierto lo que digo. Ella trata de ponerlo todo negro. Sólo ve la paja en el ojo ajeno. Yo, como padre, por un sí y por un no, he sido culpable. Y ella también. *(Más convincente.)* Como todos los padres hemos cometido injusticias y algunos actos imperdonables.

CUCA.—*(Como la madre. Con odio.)* Venías con manchas de colorete y pintura de labios en las camisas y los pañuelos.

LALO.—*(Como el padre. Violento.)* Cállate. Me coaccionas para que no diga la verdad.

CUCA.—*(Como la madre. Fuera de sí.)* Señor juez, sus borracheras, sus amigos, sus invitados a deshora...

LALO.—*(Como el padre. Violento.)* ¿Quién lleva los pantalones en esta casa?

CUCA.—*(Como la madre. Autoritaria.)* En la casa mando yo.

LALO.—*(Como el padre. Enérgico.)* Eso. «En la casa mando yo.» Sí, tú... la que manda. A eso se reduce tu vida. Te has burlado de mí. Me has humillado. Esa es la realidad. Dominar. *(Pausa breve.)* He sido un imbécil, un comemierda. Perdonen la palabra, señores del jurado.

CUCA.—*(Como la madre. Sarcástica.)* Vaya, hombre. Menos mal que lo reconoces.

LALO.—*(Como el padre. Tono anterior.)* Sí..., para qué negarlo. *(Pausa. Ordenando sus pensamientos.)* Fui al matrimonio con vagas ilusiones. Si dijera que había cifrado todas mis ilusiones en el matrimonio estaría exagerando y mintiendo a la vez. Fui como la mayoría, pensando que tendría algunas cosas resueltas: la ropa, la comida, una estabilidad..., y un poco de compañía y..., en fin..., ciertas libertades. *(Como si se golpeara interiormente.)* Imbécil. Imbécil. *(Pausa. Otro tono.)* No pensaba en ningún momento que sería lo que fue.

CUCA.—*(Como la madre. Fuera de sí.)* No pensabas. «Lo ancho para mí y lo estrecho para ti», ese es el lema de todos. Conmigo la cosa tenía que ser distinta.

LALO.—*(Como el padre. Con amargura.)* Sí, es evidente. Y claro que fue distinta. Días antes de casarnos empezaron las contrariedades: que si la iglesia era de barrio y no de primera categoría, que si la cola del traje de novia es muy corta, que tus hermanas decían, que tu madre, que tu prima, que tu tía, que tus amigas pensaban, que si tu abuela había dicho, que si los invitados serían tal y mascual[59], que si el cake no tiene diez pisos, que si tus amigos deben ir de etiqueta...

CUCA.—*(Como la madre. Retadora.)* Habla... Dilo. Vomítalo, que no te quede nada por dentro. Al fin descubro que me odias.

LALO.—*(Como el padre. Firme, convencido.)* No lo niego, y el porqué lo ignoro. Pero sé que es así. *(Otro tono.)* Cuando novios te metiste en mi cama porque sabías que era la manera de agarrarme.

CUCA.—*(Como la madre. Retadora.)* Sigue, sigue. No te detengas.

LALO.—*(Como el padre.)* No querías criar sobrinos. Odiabas a los muchachos... ¿Pero, soltera, quedarte soltera...? Jamás. Tú tendrías un marido. Sea quien fuere. Lo importante era tenerlo.

CUCA.—*(Como la madre. Acercándose a él, furiosa.)* Te odio, te odio, te odio.

LALO.—*(Como el padre. Retador.)* Un marido te daba seguridad. Un marido te hacía respetable. *(Irónico.)* Respetable... *(Pausa.)* Ah, cómo explicarme... La vida, en todo caso, es algo así, si se quiere...

CUCA.—*(Como la madre. Desesperada.)* Mentira, mentira, mentira.

LALO.—*(Como el padre. Violento.)* ¿Me vas a dejar hablar?

---

[59] «tal y mascual»; cub.: «tal y tal.»

CUCA.—*(Fuera de situación.)* Estás haciendo trampas otra vez.
LALO.—*(Como el padre.)* No quieres que la gente se entere de la verdad.
CUCA.—*(Fuera de situación.)* Estamos discutiendo otra cosa.
LALO.—*(Como el padre.)* Tienes miedo de llegar al final.
CUCA.—*(Fuera de situación.)* Tu único interés es aplastarme.
LALO.—*(Como el padre. Violento.)* ¿Y tú qué has hecho? Dime, ¿qué has hecho conmigo? ¿Y con ellos? *(Burlándose.)* «Me pongo fea, Alberto. Estoy hinchada. Con tu sueldo no podemos mantenerlos.» *(Pausa.)* Y yo desconocía los motivos, las razones verdaderas. Y, hoy, te digo: «Ponte la mano en el corazón y respóndeme, ¿me has querido alguna vez?» *(Pausa.)* No importa. Nada digas. Veo claro. Ha tenido que pasar un burujón de años para que entre en razón. «Alberto, los muchachos... No puedo con ellos. Ocúpate tú.» Mientras pasaba el tiempo mayores eran tus exigencias, mayor era tu egoísmo. *(Pausa.)* Y yo, en la oficina, allá en el Ministerio, con los números, los chismes y los amigos que venían y decían: «Hombre, ¿hasta cuándo vas a seguir así?» (CUCA *comienza a cantar. «La sala no es la sala. La sala es la cocina. El cuarto no es el cuarto. El cuarto es el inodoro.» Establecer una fuerte interrelación entre los cantos y las palabras de* LALO *y* CUCA. *Los cantos de* BEBA *aparecen primeramente como gruñidos y se van transformando hasta alcanzar un acento dulce, sencillo, ingenuo casi, mientras flamea de diferentes maneras el velo de novia utilizado en el primer acto.* LALO *burlón)*[60]. ¿Y tú? «Hoy llamó tu hermana, la muy intrigante. Estos vejigos. Mira cómo tengo las manos de lavar. Estoy desesperada, Alberto. Quisiera morirme.» Y venían tus lágrimas y los muchachos gritando y yo creía que me volvía loco y daba vueltas en un mismo círculo... Y salía de la casa, de cuando en cuando a medianoche, y me daba unos tragos y me ahogaba... *(Pausa. Sin aliento.)* Y veía a otras mujeres y no me atrevía a pensar en ellas... Y sentía unas ganas rabiosas de irme, de volar, de romper con esta nefasta encerrona.

---

[60] En la primera versión se lee: *«(... los cantos de* BEBA *aparecen primeramente como gruñidos y se van transformando hasta alcanzar un acento dulce, sencillo, ingenuo casi.* LALO, *burlón.»)*

(Pausa.) Pero tenía miedo; y el miedo me paralizaba y no me decidía y me quedaba a medias. Pensaba una cosa y hacía otra. Eso es terrible. Darse cuenta al final. *(Pausa.)* No pude. *(Al público.)* Lalo, si tú quieres, puedes. *(Pausa.)* Ahora me pregunto: «¿Por qué no viviste plenamente cada uno de tus pensamientos, cada uno de tus deseos?» Y me respondo: «Por miedo, por miedo, por miedo.»

CUCA.—*(Como la madre. Sarcástica.)* Yo de eso no tengo la culpa, mi hijito. *(Pausa. Desafiante.)* Y tú, ¿qué querías que hiciera? Estos muchachos son el diablo. Me convertían la casa en un chiquero. Lalo rompía las cortinas y las tazas y Beba no se conformaba con destrozar las almohadas... Y a ti te gustaba llegar y encontrarlo todo a mano. ¿Te acuerdas cuando Beba se orinó en la sala? Tú te escandalizaste: «En mi casa nunca ocurrió eso.» ¿Tenía acaso yo la culpa? ¿Yo?... Ponía una silla aquí. *(Mueve una silla.)* Y me la encuentro acá. *(Coloca la silla en otro lugar.)* ¿Qué podía hacer? ¡Dime!

LALO.—*(Vencido.)* Había que limpiar la casa. (BEBA *deja de cantar.)* Sí... Había que cambiar los muebles, sí... *(Pausa. Melancólico.)* En realidad, había que hacer otra cosa. *(Pausa. Lentamente.)* Pero ya estamos viejos y no podemos. Estamos muertos. *(Pausa larga. Violento.)* Siempre pensaste que eras mejor que yo.

CUCA.—*(Como la madre.)* Contigo he desperdiciado mi vida.

LALO.—*(Como el padre. Vengativo.)* No puedes escapar. Aguanta. Aguanta. Aguanta.

CUCA.—*(Como la madre. Entre sollozos.)* Empleadillo de mala muerte. Ojalá se murieran los tres.

BEBA.—*(Como* LALO. *Gritando y moviéndose en forma de círculo por el escenario.)* Hay que quitar las alfombras. Vengan abajo las cortinas. La sala no es la sala. La sala es la cocina. El cuarto no es el cuarto. El cuarto es el inodoro. (BEBA *está en el extremo opuesto a* LALO, *de espaldas al público.* LALO, *también de espaldas al público, se va doblando paulatinamente. En un grito espantoso.)* Ayyyyy. *(Entre sollozos.)* Veo a mi madre muerta. Veo a mi padre degollado. *(En un grito.)* ¡Hay que tumbar esta casa!

(Pausa larga.)

LALO.—Abre esa puerta... *(Cae de rodillas.)*

(CUCA *se levanta despacio, va hacia la puerta del fondo y la abre. Pausa. Se dirige hacia la mesa y coge el cuchillo.)*

BEBA.—*(Tono normal.)* ¿Cómo te sientes?
CUCA.—*(Tono normal.)* Más segura.
BEBA.—¿Estás satisfecha?
CUCA.—¡Anjá!
BEBA.—¿De veras?
CUCA.—De veras.
BEBA.—¿Estás dispuesta, otra vez?
CUCA.—Eso no se pregunta.
BEBA.—Llegaremos a hacerlo un día...
CUCA.—*(Interrumpiendo.)* Sin que nada falle.
BEBA.—¿No te sorprendió?[61].
CUCA.—Uno siempre se sorpende.
LALO.—*(Entre sollozos.)* Ay, hermanas mías, si el amor pudiera... Sólo el amor... Porque a pesar de todo yo los quiero.
CUCA.—*(Jugando con el cuchillo.)* Me parece ridículo.
BEBA.—*(A* CUCA.) Pobrecito, déjalo.
CUCA.—*(A* BEBA. *Entre risas burlonas.)* Míralo. *(A* LALO.) Así quería verte.
BEBA.—*(Seria de nuevo.)* Está bien. Ahora me toca a mí.

TELÓN

[61] En la primera versión se lee: «¿No te sorprendió que pudiera?»

Colección Letras Hispánicas

ÚLTIMOS TÍTULOS PUBLICADOS

540 *El Cantar de los Cantares de Salomón (Interpretaciones literal y espiritual)*, FRAY LUIS DE LEÓN.
Edición de José María Becerra Hiraldo.
541 *Cancionero*, GÓMEZ MANRIQUE.
Edición de Francisco Vidal González.
542 *Exequias de la lengua castellana*, JUAN PABLO FORNER.
Edición de Marta Cristina Carbonell.
543 *El lenguaje de las fuentes*, GUSTAVO MARTÍN GARZO.
Edición de José Mas.
544 *Eva sin manzana. La señorita. Mi querida señorita. El nido*, JAIME DE ARMIÑAN.
Edición de Catalina Buezo.
545 *Abdul Bashur, soñador de navíos*, ÁLVARO MUTIS.
Edición de Claudio Canaparo.
546 *La familia de León Roch*, BENITO PÉREZ GALDÓS.
Edición de Íñigo Sánchez Llama.
547 *Cuentos fantásticos modernistas de Hispanoamérica.*
Edición de Dolores Phillipps-López.
548 *Terror y miseria en el primer franquismo*, JOSÉ SANCHIS SINISTERRA.
Edición de Milagros Sánchez Arnosi.
549 *Fábulas del tiempo amargo y otros relatos*, MARÍA TERESA LEÓN.
Edición de Gregorio Torres Nebrera.
550 *Última fe (Antología poética, 1965-1999)*, ANTONIO MARTÍNEZ SARRIÓN.
Edición de Ángel L. Prieto de Paula.
551 *Poesía colonial hispanoamericana.*
Edición de Mercedes Serna.
552 *Biografía incompleta. Biografía cotinuada*, GERARDO DIEGO.
Edición de Francisco Javier Díez de Revenga.
553 *Siete lunas y siete serpientes*, DEMETRIO AGUILERA-MALTA.
Edición de Carlos E. Abad.
554 *Antología poética*, CRISTÓBAL DE CASTILLEJO.
Edición de Rogelio Reyes Cano.
555 *La incógnita. Realidad*, BENITO PÉREZ GALDÓS.
Edición de Francisco Caudet.
556 *Ensayos y crónicas*, JOSÉ MARTÍ.
Edición de José Olivio Jiménez.
557 *Recuento de invenciones*, ANTONIO PEREIRA.
Edición de José Carlos González Boixo.

558 *Don Julián,* JUAN GOYTISOLO.
Edición de Linda Gould Levine.
559 *Obra poética completa (1943-2003),* RAFAEL MORALES.
Edición de José Paulino Ayuso.
560 *Beltenebros,* ANTONIO MUÑOZ MOLINA.
Edición de José Payá Beltrán.
561 *Teatro breve entre dos siglos (Antología).*
Edición de Virtudes Serrano.
562 *Las bizarrías de Belisa,* LOPE DE VEGA.
Edición de Enrique García Santo-Tomás.
563 *Memorias de un solterón,* EMILIA PARDO BAZÁN.
Edición de M.ª Ángeles Ayala.
564 *El gesticulador,* RODOLFO USIGLI.
Edición de Daniel Meyran.
565 *En la luz respirada,* ANTONIO COLINAS.
Edición de José Enrique Martínez Fernández.
566 *Balún Canán,* ROSARIO CASTELLANOS.
Edición de Dora Sales.
567 *Capítulos que se le olvidaron a Cervantes,* JUAN MONTALVO.
Edición de Ángel Esteban.
568 *Diálogos o Coloquios,* PEDRO MEJÍA.
Edición de Antonio Castro Díaz.
569 *Los premios,* JULIO CORTÁZAR.
Edición de Javier García Méndez.
570 *Antología de cuentos,* JOSÉ JIMÉNEZ LOZANO.
Edición de Amparo Medina-Bocos.
571 *Apuntaciones sueltas de Inglaterra,* LEANDRO FERNÁNDEZ DE MORATÍN.
Edición de Ana Rodríguez Fischer.
572 *Ederra. Cierra bien la puerta,* IGNACIO AMESTOY.
Edición de Eduardo Pérez-Rasilla.
573 *Entremesistas y entremeses barrocos.*
Edición de Celsa Carmen García Valdés.
574 *Antología del Género Chico.*
Edición de Alberto Romero Ferrer.
575 *Antología del cuento español del siglo XVIII.*
Edición de Marieta Cantos Casenave.
576 *La celosa de sí misma,* TIRSO DE MOLINA.
Edición de Gregorio Torres Nebrera.
577 *Numancia destruida,* IGNACIO LÓPEZ DE AYALA.
Edición de Russell P. Shebold.

578 *Cornelia Bororquia o La víctima de la Inquisición,* LUIS GUTIÉRREZ.
Edición de Gérard Dufour.
579 *Mojigangas dramáticas (siglos XVII y XVIII).*
Edición de Catalina Buezo.
580 *La vida difícil,* ANDRÉS CARRANQUE DE RÍOS.
Edición de Blanca Bravo.
581 *El pisito. Novela de amor e inquilinato,* RAFAEL AZCONA.
Edición de Juan A. Ríos Carratalá.
582 *En torno al casticismo,* MIGUEL DE UNAMUNO.
Edición de Jean-Claude Rabaté.
583 *Textos poéticos (1929-2005),* JOSÉ ANTONIO MUÑOZ ROJAS.
Edición de Rafael Ballesteros, Julio Neira y Francisco Ruiz Noguera.
584 *Ubú president o Los últimos días de Pompeya. La increíble historia del Dr. Floit & Mr. Pla. Daaalí,* ALBERT BOADELLA.
Edición de Milagros Sánchez Arnosi (2.ª ed.).
585 *Arte nuevo de hacer comedias,* LOPE DE VEGA.
Edición de Enrique García Santo-Tomás.
586 *Anticípolis,* LUIS DE OTEYZA.
Edición de Beatriz Barrantes Martín.
587 *Cuadros de amor y humor, al fresco,* JOSÉ LUIS ALONSO DE SANTOS.
Edición de Francisco Gutiérrez Carbajo.
588 *Primera parte de Flores de poetas ilustres de España,* PEDRO ESPINOSA.
Edición de Inoria Pepe Sarno y José María Reyes Cano.
589 *Arquitecturas de la memoria,* JOAN MARGARIT.
Edición bilingüe de José Luis Morante.
590 *Cuentos fantásticos en la España del Realismo.*
Edición de Juan Molina Porras.
591 *Bárbara. Casandra. Celia en los infiernos,* BENITO PÉREZ GALDÓS.
Edición de Rosa Amor del Olmo.
592 *La Generación de 1936. Antología poética.*
Edición de Francisco Ruiz Soriano.
593 *Cuentos,* MANUEL GUTIÉRREZ NÁJERA.
Edición de José María Martínez.
594 *Poesía. De sobremesa,* JOSÉ ASUNCIÓN SILVA.
Edición de Remedios Maraix.
595 *El recurso del método,* ALEJO CARPENTIER.
Edición de Salvador Arias.

596 *La Edad de Oro y otros relatos,* JOSÉ MARTÍ.
Edición de Ángel Esteban.
597 *Poesía. 1979-1996,* LUIS ALBERTO DE CUENCA.
Edición de Juan José Lanz.
598 *Narraciones,* GUSTAVO ADOLFO BÉCQUER.
Edición de Pascual Izquierdo.
599 *Artículos literarios en la prensa (1975-2005).*
Edición de Francisco Gutiérrez Carbajo y José Luis Martín Nogales.
600 *El libro de la fiebre,* CARMEN MARTÍN GAITE.
Edición de Maria Vittoria Calvi.
601 *Morriña,* EMILIA PARDO BAZÁN.
Edición de Ermitas Penas Varela.
602 *Antología de prosa lírica,* JUAN RAMÓN JIMÉNEZ.
Edición de M.ª Ángeles Sanz Manzano.
603 *Laurel de Apolo,* LOPE DE VEGA.
Edición de Antonio Careño.
604 *Poesía española [Antologías],* GERARDO DIEGO.
Edición de José Teruel
605 *Las Casas: el Obispo de Dios (La Audiencia de los Confines. Crónica en tres andanzas),* MIGUEL ÁNGEL ASTURIAS.
Edición de José María Vallejo García-Hevia.
606 *Teatro completo (La petimetra, Lucrecia, Hormesinda, Guzmán el Bueno),* NICOLÁS FERNÁNDEZ DE MORATÍN.
Edición de Jesús Pérez Magallón.
607 *Largo noviembre de Madrid. La tierra será un paraíso. Capital de la gloria,* JUAN EDUARDO ZUÑIGA.
Edición de Israel Prados.
608 *La Dragontea,* LOPE DE VEGA.
Edición de Antonio Sánchez Jiménez.
609 *Segunda parte de la vida del pícaro Guzmán de Alfarache.*
Edición de David Mañero Lozano.

DE PRÓXIMA APARICIÓN

Claros varones de Castilla, FERNANDO DE PULGAR.
Edición de Miguel Ángel Pérez Priego.
Episodios nacionales (Quinta serie), BENITO PÉREZ GALDÓS.
Edición de Francisco Caudet.